Word-perfect 1800
워드 퍼펙트 1800 중학 영단어

저자 김찬수
편집 타보름 교육 편집팀
발행일 초판 2쇄 2020년 7월 24일

발행처 타보름 교육
홈페이지 TABORM.COM

목차

학습 스케쥴러

스파르타 8회독 복습 40일 완성 – 해당 일차에 해당 페이지를 모두 학습!

일차			
01일차	1~5p		
02일차	1~10p		
03일차	1~15p		
04일차	5~20p		
05일차	1~5p	11~25p	
06일차	1~10p	16~30p	
07일차	11~15p	21~35p	
08일차	1~5p	16~20p	26~40p
09일차	5~10p	21~25p	31~45p
10일차	11~15p	26~30p	36~50p
11일차	16~20p	31~35p	41~55p
12일차	21~25p	36~40p	46~60p
13일차	26~30p	41~45p	51~65p
14일차	31~35p	46~50p	56~70p
15일차	1~10p	36~40p	51~75p
16일차	11~20p	41~45p	56~80p
17일차	21~30p	46~50p	61~85p
18일차	31~40p	51~55p	66~90p
19일차	41~50p	56~60p	71~95p
20일차	51~65p	76~100p	

일차			
21일차	61~75p	81~105p	
22일차	66~80p	86~110p	
23일차	76~95p	101~115p	
24일차	81~85p	91~120p	
25일차	86~90p	101~125p	
26일차	91~95p	106~130p	
27일차	96~100p	111~135p	
28일차	96~105p	116~140p	
29일차	106~110p	121~145p	
30일차	1~15p	111~115p	126~150p
31일차	16~30p	116~120p	131~160p
32일차	31~45p	121~125p	136~165p
33일차	46~60p	126~130p	151~170p
34일차	61~75p	131~135p	141~175p
35일차	76~90p	136~140p	146~180p
36일차	91~105p	141~190p	
37일차	106~120p	146~195p	
38일차	121~200p		
39일차	135~203p		
40일차	1~203p		

Word-perfect 1800 단어장 소개

word-perfect 는 **〈완벽히 외우고 있는〉**이란 뜻을 가진 복합 형용사입니다.
모든 시험과 영자로 된 문장의 기본이 되는 기초 뼈대 어휘를 빠짐 없이 완벽하게 외워야 영어의 기본기가 제대로 갖추어졌다고 할 수 있습니다.
중학 영단어는 내신이나 수능 영어 뿐만 아니라, 공무원 영어, 편입 영어, 토익, 토플, 텝스, 지텔프 등 모든 영어 시험과 영자 신문, 소설, 원서 읽기 그리고 영어로 된 웹 사이트 등 모든 영문을 읽는데 가장 기본이 되고 가장 많이 사용되는 어휘입니다.
시중에 수 많은 중학 기초 영단어장이 있지만, 중학생 수준의 어휘 구색이 완전하다 할만한 단어장은 없었습니다.
대부분 수록된 단어의 기준이 모호하거나, 특정 교과서 기출 단어에 한정되어 범용성이 떨어지는 부분이 있었습니다.
반면에 ***Word-perfect 1800***은 중학 수준에서 쓰인 영어 문헌을 체계적으로 분석하여 가장 많이 사용되고, 꼭 알아야 하는 중학 수준의 기초 어휘 표제어 1840개를 선정하여 빠짐 없이 정리하였습니다.
영어를 공부를 시작한 모든 학습자는 ***Word-perfect 1800***에 수록된 어휘를 빠짐 없이 학습하시길 권장합니다. 이 단어장에 모르는 어휘가 있다면 영어 기초가 제대로 잡히지 않은 것입니다.
단어장에 포함된 기본 어휘를 빠짐 없이 학습한다면 영문으로 된 글의 95%를 무리 없이 읽을 수 있게 구성되어 있습니다.

*어휘 빈도별 글씨 색상 및 사이즈 구성

검은색 굵음 = 매우 높음
검은색 = 높음
녹색 = 보통
회색 = 낮음

0001 □□□ ð어 / ð이
the (그)
the 최상급 가장 ~한
the 비교급 더 ~한
the 형용사 (형용사)한 사람들
the 비교급 ~, the 비교급 ~할수록 더욱 ~한

0002 □□□ 비
be ~이다, 있다, 참석하다 < be (am, are, is) - was, were - been >
being 존재, 생명체, 마음
ain't / aren't / isn't am not / are not / is not의 단축
wasn't / weren't was not / were not의 단축

0003 □□□ 투
to ~로, ~쪽으로, ~까지
to do ~하는 것, ~하기 위한, ~하기 위하여, ~하면, ~하여
in order to ~하기 위해, ~하려고
to do with ~와 관련이 있는, ~에 관한
to doing ~하는 (것을)
not to do ~하지 않는, ~하지 않기 위한
unto ~에(게로), ~까지

0004 □□□ 어'ㅂ
of ~의, ~로 부터의, ~로 된
A of B B의 A

0005 □□□ 어 / 언
a / an (하나의)

0006 □□□ 엔ㄷ
and 그리고, 그래서, 그 다음에
and then 그러고는, 그런 다음
more and more 점점 더, 더욱 많은
and so on 기타 등등
both A and B A와 B 모두

0007 □□□ 인
in ~안에, ~에서, ~후에, ~동안
into ~속으로, ~속에, ~한 상태로
inside 내부, ~안에
inner 내부의, 내적인

0008
□□□
ð앨

that 저~, 그~, (~라는) 것, 그것

those that의 복수, 그것들의, 그것들(은), 그들

that's that is의 단축

so that 그래서, ~하기 위해서

in that ~라는 점에서

at that time 그때(에)

0009
□□□
헤'ㅂ / 'ㅂ

have / 've 가지다, (~이) 있다, 먹다, 경험하다, (~하게) 하다 < have - had - had >

have to do ~해야만 한다

having 소유(물), 재산

've been doing ~해오고 있다

have no ~가 없다, ~을 가지지 않다

haven't / hasn't have의 부정형

have to do with ~와 관련이 있다, ~에 관한 것이다

had better do / 'd better do ~하는 편이 낫다

have nothing to do with ~와 관련이 없다

have no idea 전혀 모르다

hadn't had not의 단축

0010
□□□
잍

it 그것은, 그것을

its 그것의

it's it is, it has의 단축

itself 그 자신, 스스로

0011
□□□
아이

I 나

my 나의, 내

me 나를, 나에게

myself 나 자신, 나 스스로

mine 나의 것

0012
□□□
·유

you 너, 너희

your 너의, 너희들의, 모두의

yourself 너 자신, 너 스스로

yours 너의 것

yourselves 당신들 자신, 당신들 스스로

0013 □□□ '풔

for ~의, ~에 대해, ~를 위해

for 시간/기간 (시간/기간) 동안

forever 영원히, 항상

for the first time 처음으로, 비로소

for a while 잠시 동안

0014 □□□ 히

he 그(는), 그가

his 그의, 그의 것

him 그를, 그에게

himself 그 자신, 그 스스로

0015 □□□ ð에어

their 그들의, 그것들의, 그 사람의

they 그들, 그것들, 사람들

them 그들을[에게], 그것들을[에게], 그 사람을[에게]

themselves 그들 자신, 그들 스스로

theirs 그들의 것

0016 □□□ 낱

not ~이 아니(-다), ~지 않(-다)

no 아닌, ~이 없는, ~금지, "아니"

no 명 ~가 없는, ~가 아닌

no longer 더 이상 ~이 아닌, 더 이상 ~않다

nor ~도 또한 ~않다

no matter ~하여도, ~간에, ~이든

none 전혀 없는, 아무도 아닌, 전혀 ~않(-다)

none at all 전혀 없는, 전혀 (~)하지 않는 "전혀(없어)!"

0017 □□□ 에ㅈ

as ~처럼, ~로서, ~이므로, ~와 같을 정도로

as well as ~뿐만 아니라, ~은 물론

as if ~인 것처럼, ~와도 같이

as well 또한, 역시

as soon as ~하자마자

as high as ~만큼 높이

0018 □□□ 위θ

with ~와 함께, ~와 같이, ~에 대하여, ~에 관하여

without ~이 없이, ~하지 않고

within ~이내의, ~의 속에

with doing ~을 하면서

0019 □□□ 안

on ~에, ~으로

upon ~에, ~의 위에, ~에 대하여

onto ~위에

0020 □□□ 캔

can ~할 수 있다, ~해도 좋다, ~하다, 통조림, 깡통 < can - could - - >

could ~할 수 있었다(면), ~할 수 있다(면), ~해주실래요

cannot ~할 수 없다

couldn't ~할 수 없었다

could be ~수 도 있다, ~때가 있었다, 아마도

0021 □□□ ·위

we 우리

our 우리의, 우리들의

ourselves 우리 자신, 우리 스스로

ours 우리의 것

ourself 자기, 자신

us 우리를, 우리에게

0022 □□□ ð이ㅅ

this 이(것), 이 정도로

these this의 복수, 이것들(의), 이것들은

this year 올해

this day 오늘, (to) 오늘날까지

0023 □□□ ·윌 / ·일

will / 'll ~할 것이다, ~일 것이다, 의지, 유언장 < will - would - - >

would / 'd ~일 것이다, ~하겠다, ~하려고 하였다

wouldn't would not의 단축

won't will not의 단축

willing 기꺼이 ~하는, 자진해서 하는, 자발적인

be willing to do ~할 의욕이 넘치다, 기꺼이~하다

unwilling 꺼리는, 마지못해 하는

0024 □□□ 두

do (~)하다, 행하다 < do - did - done >

don't / doesn't do not, does not의 단축, ~하지 않다

didn't did not의 단축

doing 하기, 수행

done 다 끝난, 완료된, 푹 익힌, 바짝 구운

do away with ~을 폐기하다, ~을 없애다, ~을 그만두다

redo 다시 하다 < redo - redid - redone >

undo 풀다, 원상태로 돌리다 < undo - undid - undone >

0025 □□□ 바이

by ~에 의해서, ~까지, ~곁에

0026 □□□ ·피플

people 사람들

person 사람, 개인

personal 개인의, 개인에 대한

the people 일반 대중, 국민

0027 □□□ 오어

or 또는, 혹은

or so ~쯤, ~정도

more or less 거의, 대체로

0028 □□□ ·메이ㅋ

make 만들다, 제작하다 < make - made - made >

made 만든, 마련된

making 만들기, 제작, 생산, 재료

make up 화장하다, ~을 이루다, 화해하다, 화장품(makeup)

make of ~라 이해[생각]하다, ~을[로] 만들다, ~라는 제품

make sense 말이 되다, 이해가 되다

make sure 확실하게 하다

maker 제조사, 제조자, 제조기, 조물주, 신

make up for ~를 보상[보충]하다, ~를 대체하다

make for ~을 위해 준비하다, ~에 기여하다, ~로 향하다

make a difference 변화를 가져오다, 차이가 생기다

make out 지내다, ~을 알아보다[알아듣다], 작성하다

make money 돈을 벌다

make a fortune 부자가 되다, 재산을 모으다

make over 개선하다, 양도하다

make sense of ~을 이해하다

man-made 사람이 만든, 인공의

human-made 인간이 만든

make A into B A를 B로 만들다

make a allowances for ~을 감안하다

make happen 실현하다, 성사시키다

0029 □□□ 모어

more 더 많은, 더욱, 더 ~

more than ~이상으로, ~보다 많은

moreover 게다가, 더욱이

more and more 점점 더, 더욱 많은

no more 이제 ~하지 않는, ~이 더는 없는

no more than ~일 뿐, ~보다 이하인

more or less 거의, 대체로

one more 하나 더, 하나 더의 ~

0030 □□□ ·굳

good 좋은, 훌륭한

best 가장 좋은, 최대의, 제일 잘
better 더 좋은, 더 많이
goods 상품, 재화
better than ~보다 나은
better to do ~하는 것이 더 나은
do one's best ~의 최선을 다하다
be better for ~에 좋다
be good at ~에 능숙하다, ~솜씨가 좋다

0031 □□□ 앹

at ~에, ~에서, ~으로

at least 적어도
at all 전혀, 조금도
at first 처음에는
at that time 그때(에)
at the same time 동시에
at times 때때로
at 인터넷주소 (인터넷주소)에[로]
at 전화번호 (전화번호)에[로]

0032 □□□ 벝

but 그러나, 하지만, ~외에

but also ~또한
all but 거의, ~외에 모두, 사실상

0033 □□□ '프뤔

from ~부터, ~에게서

from now (on) 지금부터

0034 □□□ Ð앤

than ~보다, ~이외에는

more than ~이상으로, ~보다 많은
rather than ~보다는, ~하지 말고
better than ~보다 나은
no more than ~일 뿐, ~이하로, ~보다 이하인
fewer than ~보다 적은
higher than ~보다 높은
younger than ~보다 어린
lower than ~보다 낮은

0035 □□□ ·아Ð어

other 다른(것, 사람), 그 밖의

another 또 하나의, 다른

the other (둘 중의) 다른 하나

on the other hand 다른 한편으로는, 반면에

otherwise 만약 그렇지 않으면, 다른 방법으로, 다른 점에서

one another 서로

0036 □□□ 원

one 하나(의), 같은 것의, 어떤 사람[사물]

one of ~ ~중 하나[한 명]

one-서수 ~분의 1

one by one 차례 차례

oneself 자기 자신, 스스로

at one time 동시에, 예전에는

no one 아무도 ~않는, 아무도 ~없는

0037 □□□ 썸

some 조금, 약간의, 어떤~, 일부의

something 어떤 것, 무엇

sometimes 때때로, 때로는

someone 어떤 사람, 누구

some of ~ ~중의 일부, ~중의 조금[몇몇]

somewhere 어딘가에, ~곳에, 대략, 언젠가

somehow 어떻게든, 어쨌든, 다소, 어쩐지, 그럭저럭

somewhat 약간, 어느 정도

somebody 어떤 사람, 누군가

someday 언젠가, 훗날

sometime 언젠가, 이전에, 이따금

0038 □□□ 어·바울

about ~에 대하여, 거의, 대략, ~의 주위에

about the 명사 (명사)에 대하여

about 숫자 대략 (숫자)의 *about 10 years 대략 10년

how about ~ ? "~는 어때?", "~할래?"

what about ~ ? "~하는 게 어때?", "~는 어때?"

0039 □□□ ·유ㅈ (동) ·유ㅅ (명)

use 쓰다, 소비하다, 이용(하다)

using 이용하기, 적용하기
useful 유용한, 유익한
user 사용자, 가입자, 소비자
useless 쓸모없는, 소용없는
used 중고의, 익숙한
be used to do ~하기 위해 사용되다, ~로 사용되다
used to do ~하곤 했다
usefulness 유용성
be used for ~에 사용되다
be used to doing ~하는데 익숙하다

0040 □□□ ·웬

when 언제, ~할 때, ~하면서

whenever ~할 때는 언제나, 언제 ~하든지 간에
barely ~ when ~하자마자 곧
hardly ~ when ~하자마자 곧
scarcely ~ when ~하자마자 곧

0041 □□□ 쉬

she 그녀(는), 그녀가

her 그녀의, 그녀를
hers 그녀의 것
herself 그녀 자신, 그녀 스스로

0042 □□□ ·왙

what 무엇, 어떤(것), 얼마나

whatever 무엇이든지, 어떤 ~이라도
what's what is[has]의 단축
what about ~ ? "~하는 게 어때?", "~는 어때?"
what ~ for "무엇 때문에?", "왜?"
what's up? "무슨 일이야?"

0043 □□□ 얼

all 모든(것), 전체(의), 모두

all of ~ 전부, 전체
all over 곳곳에, 전역에
overall 전부, 전반적으로, 종합적으로
almost all 거의 전부
all but 거의, ~외에 모두, 사실상
all-in-one 일체형의

0044 □□□ Ð에어

there 그곳에(서), 거기에, 저기에

therefore 그러므로, 그 결과, 그것에 의하여
there's there is[has]의 단축
thereby 그 때문에
over there 저쪽에
so there 그래서

0045 □□□ ·테잌

take 가지다, 얻다, 받다, 맡다, 잡다, 가져가다 < take - took - taken >

taken 빼앗긴, 받은, 잡힌
taking 매력 있는, 취득, 체포, 매출액(takings)
take care of ~을 돌보다, ~을 신경 쓰다, ~을 처리하다
take part (in) 참여하다, 가담하다
undertake 떠맡다, 착수하다, 약속하다 < undertake - undertook - undertaken >
take on 맡다, 따르다, 고용하다
take over 인수(하다), 인계(받다), 탈취(하다)
take advantage of ~을 기회로 활용하다, ~을 이용하다
take away ~을 빼앗다, ~을 없애다, 가지고 나가다
take out 빼다, 획득하다, 가지고 나가다
take after ~을 닮다, 쫓다
take down 분해하다, 내리다
take in 섭취하다, 받아들이다
take off 벗다, 시작하다, 이륙(하다)
uptake 이해, 흡수(율), 섭취
take a chance 모험하다, 운에 맡기다
take against ~가 싫어지다
take apart 분해하다, 비판하다
take for granted ~을 당연시하다
take into ~을 고려하다, ~로 가져가다 ~에 넣다, 털어놓다
take into account ~을 고려하다
take sides 편들다

0046 □□□ 윝치

which 어느(것), ~하는

which of ~ ~중에 어느 것[누구]
which one 어느 것
whichever 어느 것이든지, 어느 쪽이든지

0047 □□□ ·라잌

like 좋아하다, ~와 비슷한, ~처럼, ~하고 싶다

likely ~할 것 같은, 가능성 있는, 아마
be likely to ~할 것 같다
like to ~하기를 좋아하다, ~와 같은
likewise 마찬가지로, 더욱이
unlike ~와는 다르게, 닮지 않은, 다른
alike 마찬가지로, 같게, 비슷한, 닮은
unlikely ~할 가능성이 없는, 없을 것 같은
dislike 싫어하다

0048 □□□ 후

who 누구, ~한 사람, 어떤 사람

whose 누구의
whom 누구에게, 누구를
whomever 누구든지
whoever 누구나, 누가 ~하더라도, 대체 누가

0049 □□□ ·이'프

if 만약 ~라면, ~의 경우에는, ~이지만, ~인지

as if ~인 것처럼, ~와도 같이
even if (비록)~일지라도
if not ~않지만, 그렇지 않다면, 아니면
if I were 내가 만일 ~라면, 나 같으면
what if ~면 어쩌지[어떨까]?

0050 □□□ 노우

know 알다, 인식하다 < know - knew - known >

knowledge 지식, 인지
known 알려진, 유명한, 알고있는
known as ~로 알려진, ~라 불린
well-known 유명한, 잘 알려진, 친밀한
unknown 알려지지 않은, 미지의, 불분명한, 셀 수 없는
also known as (=A.K.A.) 또한 ~로 알려진

0051 □□□ 쏘우

so 그래서, 매우, 따라서, 이와 같이, 그만큼

so that 그래서, ~하기 위해서
so much 매우
so far 지금까지는, 최근의
so far as ~하는 한, ~까지

0052 □□□ ·차일드

child 어린이

children child의 복수, 어린이들
childhood 어린 시절
grandchildren 손자, 손녀

0053 □□□ 고우

go 가다, 떠나다, 되다 < go - went - gone >

go to ~에 가다, ~가 되다
gone 떠나간, 지나간, 사라진, 죽은
undergo 겪다, 경험하다, 견디다
< undergo - underwent - undergone >
go on 계속하다, 켜지다, 벌어지다
go through 통과하다, 겪다, 가다, 써버리다
go out 나가다, 탈락하다
go into ~로 들어가다, ~로 되다, ~을 조사하다
go over 살피다, 검토하다
ongoing 전진(하는), 계속 진행(하는)
go for ~하러 가다, ~하려 애쓰다, ~에 찬성하다, ~을 좋아하다
go ahead 진행되다, 앞서 가다

0054 ·타임

time 시간, ~배(곱), 시기

숫자 times ~번, ~배[곱하기]
by the time ~때까지, 무렵, ~할 때까지는
in time 제시간에
at times 때때로
full-time 종일(의), 전임의, 상근의
timetable 시간표, 예정표
anytime 언제든지, 언제든
for the time being 당분간
timing 시기 맞추기
timely 적시에, 시기적절한
timer 타이머
all-time 역대의
real-time 실시간의, 동시의

0055 ·워-ㅋ

work 일(하다), 노동(하다), 작동(하다), 작품

working 일(하는), 노동, 작용
worker 노동자, 일하는 사람
works 공장, 장치, 행위
work(s) of art 예술 작품
work on ~에 애쓰다, 착수하다
workplace 직장, 작업장
work out 해결하다, 운동하다, 계산되다
at work 직장에서, 업무에서, 작동하는
work at ~에 몰두하다, ~에서 일하다
coworker 협력자, 동료

0056 메이

may ~일지 모르다, ~일 것이다, ~해도 좋다 < may - might - - >

might 아마도, 힘
maybe 아마, 어쩌면
may have done ~했을지 모른다
mighty 강력한, 거대한, 굉장한, 대단한
may well do ~하는 것은 당연하다

0057 □□□ 데이

day 하루, 낮, 날

today 오늘(날)
daily 매일(의), 일상적인
yesterday 어제
monday 월요일(의)
tuesday 화요일(의)
wednesday 수요일(의)
thursday 목요일(의)
friday 금요일(의)
saturday 토요일(의)
sunday 일요일(의)
holiday 휴일, 휴가
midday 정오, 한낮
one day 어느 날, 하루, 언젠가는

0058 □□□ ·메니

many 많은

so many 아주 많은
as many ~와 같은 수만큼의
as many as ~와 같은 수만큼

0059 □□□ ·뉴

new 새로운, 최근의

news 뉴스, 소식
newspaper 신문(사)
newly 최근에, 새롭게
newscast 뉴스 방송
newsletter 소식지, 회보

0060 □□□ ·θ잉ㅋ

think 생각하다, 상상하다 < think - thought - thought >

thought 생각, 사고, 사상
thinking 생각하는, 생각함
think of ~을 생각하다
think about ~에 대해 생각하다
thinker 사상가, 철학자
thoughtful 사려 깊은, 친절한

0061 □□□ 모우스ㅌ

most 대부분(의), 최고의

almost 거의, 대부분
most of ~ ~의 대부분
mostly 대개, 대부분, 거의

0062 □□□ ·아웃

out 밖에, 나가다

out of ~ ~의 밖으로[밖에서], ~에 없어[잃은]
outside 밖의[에], 외부(로부터)
outer 외피, 외부의, 외곽
outlet 배출구, 판매장, 판로
out there 그곳에, 밖에

0063 □□□ ·겟

get 받다, ~시키다, 얻다, 가지다 < get - got - got, gotten >

get to ~에 도착하다, ~에 이르다
get to do ~하기 시작하다, ~하게 하다
get over 극복하다
get rid of 제거하다, 버리다, 갚다
get back 돌아오다, 되찾다, 회신하다
get in 도착하다, 들어가다, 탑승하다, ~을 거두다
get through 통과하다, 벗어나다, 연락이 되다, 끝내다
get into ~에 들어가다, ~을 입다, 처하다
get by 지나가다
get on 타다, 성공하다, 잘 해 내가다, 늦어지다
get on with ~와 잘 지내다, ~를 해나가다
get out of ~에서 나가다, ~에서 벗어나다, ~을 ~에서 얻다
get together 모으다, 합치다, ~와 만나다
get along 어울리다, 떠나다
get along with ~와 잘 지내다
get off 떠나다, 보내다, 퇴근하다, 그만하다
get the hang of ~에 대해 파악하다
get ahead 출세하다, ~를 앞서다
get away ~에서 떠나다[도망치다]
get down (~에) 정통하다, 착수하다
get out 나가다, 떠나다
get the point 요점을 이해하다
get through with 끝내다
get well 회복하다, 치료하다

0064 □□□ ·세이

say 말하다, 주장하다 < say - said - said >

saying 속담, 격언
said, "~" "~" 라고 말했다.
say to do ~하라 명령하다

0065 □□□ ·웰

well 좋게, 잘, 충분히, 우물

as well as ~뿐만 아니라, ~은 물론
well-known 유명한, 잘 알려진, 친밀한
welfare 복지, 후생
well-being 행복, 복지

0066 □□□ 비·커즈

because 왜냐하면

because of ~때문에

0067 □□□ ·이어

year 1년(간), ~살, 시기

years 여러 해, 나이, 시대
숫자-year-old ~살의
숫자 years old ~살의
숫자 years later ~년 후
following year 다음 해

0068 □□□ 하우

how 어떻게, 얼마나, 방법

how much (양·값이) 얼마만큼, 어느 정도
how many 몇 개 [사람]
how long (시일이) 얼마나, 언제부터, 언제까지
how to do ~하는 법, ~하는 지

0069 □□□ 써취

such ~와 같은, 그러한

such as ~와 같은
such a (형) 명 이 정도에~, 정말~, 이처럼~

0070 □□□ ·컴

come 오다, 가다, ~에 달하다 < come - came - come >

come to 오다, 되다
coming 오는, 다음의, 도래(하는), 신흥의
come into ~하게 되다, ~을 물려받다
come from ~의 출신이다
come up 나오다, 생기다, 다가오다
come up with 찾아내다, ~을 생산하다, ~을 생각해내다
come in 들어가다[오다], 관여하다, 유행하다
come on "서둘러", 나오다, 되어가다, 시작하다
come across ~을 우연히 발견하다, 이해되다
come upon ~을 우연히 만나다
come up to ~에 이르다[오다]
come close to ~할 뻔하다, 거의 ~하다
come down with 병에 걸리다, 아프다, 내놓다
come down 무너지다, 내리다, 추락하다
comeback 복귀, 재기

0071 □□□ 엎

up 위쪽으로, 상승(하다), 올라가, 끝나고

upper (더) 위의, 상부의, 상류의, 상위의
ups and downs 기복, 우여곡절
upside 윗면, 괜찮은 면, 상부, 상승세
up to ~까지

0072
·기'ㅂ

give 주다, 전하다, 맡기다 < give - gave - given >

given 주어진, 받은, 감안하면, 정해진
giving 증여, 기부
give up 포기하다, 내주다, 때려치우다
give ~ a hand ~을 돕다, ~에게 박수치다
give in 항복하다, ~을 제출하다
give in to ~에 굴복하다
given that ~ ~을 고려하면
give off 풍기다, 발산하다
give out 나눠주다, 동이 나다, 발하다
giver 기부자, 증여자

0073
·'퍼-스ㅌ

first 첫번째(의), 첫째로, 우선

the first 첫번째의, 최초의, 1등의, 일류의
first of all 무엇보다도
in the first 첫째(로)
in the first place 우선
firsthand 직접적으로, 바로
firstly 첫째로, 먼저

0074
머취

much 많은, 매우

much more 훨씬 더, 이상의, 더군다나
too much 과도하게
much of ~ 크게 ~한, 많이
so much 매우
how much (양·값이) 얼마만큼, 어느 정도
as much as ~와 같은 양 만큼

0075
·라이'ㅂ

live 살다, 살아있는, 존재하다

living 살아있는, 현대의, 거주의, 생활
live in ~에 거주하다, ~에 살다
alive 살아있는, 활발한, 활동하는
lively 활기 넘치는, 의욕적인
live on ~을 먹고 산다, ~에서 산다
live with 참고 살다, 같이 살다, 감수하다
live for ~을 위해 살다, ~동안 살다

0076 □□□ ·이'븐

even 평등한, ~조차, 동일한, 훨씬(even 비교급)

even though 비록 ~일지라도
even if (비록)~일지라도
even more 훨씬 더, 더욱
even when ~비록 ~일 때에도
evening 저녁(의), 밤
even as ~한 대로, ~였을 때도, ~할 때에(도)
even so 그렇기는 하지만
even during ~할 때도, ~동안에도

0077 □□□ ·스터디

study 공부(하다), 연구, 조사

student 학생, 연구생
studied 계획된, 고의의
studio 작업장, 연습실, 촬영실

0078 □□□ ·애니

any 어떤, 전혀, 아무, 조금도

anything 무엇(이든), 아무것, 무언가
anyone 누가, 누군가, 누구든지
any other 뭔가 다른, 누군가 다른
anyway 어쨌든, 어차피, 결국
anymore 더 이상, 이제는
anywhere 어디든지, 어딘가로, 아무데도
anybody 누구든지, 아무라도, 아무도
any given 어떤 ~에서도
any longer 더 이상

0079 □□□ ·오운리

only 유일한, 단지, ~뿐인, 오직

not only ~ but also ~뿐만 아니라 ~도
only one 단 하나, 한 가지만
only a few 몇 안 되는
only after ~한 후에만, ~만인
only if ~해야만

0080 □□□ ·'파인ㄷ

find 발견하다, 찾다 < find - found - found >

finding 발견, 결과, 습득물
find out 발견하다, 알게 된다
find ways to do ~할 방법을 찾다
finder 발견자, 탐지기

0081 □□□ ·에'브뤼

every 모든, ~마다

everyone 모두, 누구나
everything 무엇이든지, 모두, 모든 것, 가장 소중한 것
everyday 매일, 평범한, 나날의
every year 매년
everybody 모두, 누구든지
everywhere 모든 곳, 어디에나
every week 매주

0082 □□□ 져스ㅌ

just 그냥, 그저, 겨우, 단지, 정말, 정확히, 막

just as ~만큼, ~처럼, 바로, 오히려
justice 정의, 정당(성), 재판, 공정
justify 정당화하다, 옳다고 하다
just about 거의, 곧장
injustice 불의, 불법, 부당함, 불공평

0083 □□□ ·월-ㄷ

world 세계, ~계

worldwide 세계적인
whole world 전 세계

0084 □□□ ·웨이

way 방법, 수단, 길

subway 지하철
no way 결코 ~하지 않는, ~할 방법이 없는
by the way 그런데, 도중에, 그나저나
halfway 중간에(의), 불완전한, 조금이라도
on the way 도중에, 진행 중에
way to ~하는 방법, ~로 가는 길

0085 □□□ ·디'퍼런ㅌ

different 다른, 여러 가지의

difference 다름, 차이
different from ~와 다른
differ 다르다, 의견이 다르다
indifferent 무관심한, 냉담한, 무관한, 그저 그런
difference between A and B A와 B의 차이
differently 다르게, 같지 않게
differ from ~와 다르다
differ in ~에 대해 다르다
indifference 무관심, 냉담, 평범

0086 □□□ ·얼소우

also 또한, 역시

0087 □□□ 익·잼플

example 예, 보기

for example 예를 들어

e.g. 예를 들면 (Exempli Gratia)

0088 □□□ ·민

mean 의미하다, 의도하다, 비열한, 평균의 < mean - meant - meant >

meant 의미의, 의도한

meaningful 의미 있는, 중요한

by no means 결코 ~이 아닌

a means of 수단, 방법

meantime 그동안에, 동시에, 한편, 그동안(the meantime)

by all means 아무렴, 어쨌든

mean to do ~할 의도이다

meaningless 의미 없는

0089 □□□ 액·티'비티

activity 활동, 운동, 활발

action 행동, 활동, 작용, 동작

act 행동(하다), 작동하다, 연기하다

active 활동적인, 활기찬, 적극적인, 유효한

interaction 상호작용, 교류

actor 배우

interact 소통하다, 상호작용하다

Act 법령, 조례

actively 활발히, 적극적으로

interactive 상호적인, 상호작용하는

act as ~로 일하다, ~의 역할을 하다

act like ~처럼 행동하다

actress 여배우

0090 □□□ ·렁

long 긴, 오랜 기간, 길이의

no longer 더 이상 ~가 아닌[~하지 않는]

long time 장기간

long before 오래전에, 한참 전

in the long run 결국에는

longevity 장수, 오래 지속됨, 수명

prolong 연장하다, 연장시키다

long term 장기간

long for 갈망하다, 갈구하다

0091 □□□ 비·컴

become ~가 되다, 어울리다 < become - became - become >

0092 □□□ ·프롸덕ㅌ

product 제품, 생산물

produce 생산하다, 제조하다

production 생산, 제작, 제품

productivity 생산성, 생산력

producer 제작자, 생산자, 저작자, 연출가

0093 □□□ ·오우'버

over ~이상, ~을 넘어, ~위에, ~에 걸쳐, 끝나서

over time 초과 근무, 추가 시간, 연장전

over the course ~중에, ~사이에

overly 지나치게, 몹시

over and over 반복해서

over ~% ~% 이상

0094 □□□ ·채인즤

change 변화(하다), 변경(하다)

exchange 교환(하다), 환전(하다)

changeable 변하기 쉬운

unchangeable 바꿀 수 없는, 변하지 않는

be change into ~로 변하다

interchange 교환, [교통] 분기점

0095 □□□ ·씨

see 보(이)다, 이해하다 < see - saw - seen >

see in ~에서 보다[찾다]

see A as B A를 B라고 보다

foresee 예상하다, 예견하다
< foresee - foresaw - foreseen >

oversee 감시하다, 감독하다
< oversee - oversaw - overseen >

see at ~에서 보다

see eye to eye 의견이 일치하다

seesaw 시소

unseen 보이지 않는(것), 본적 없는

0096 □□□ ·라이'프

life 삶, 생명

lifestyle 생활 방식

lifetime 평생(의)

afterlife 여생, 사후

lifelong 평생 동안의, 일생의

0097 □□□ ·소우셜

social 사회의, 사교상의

society 사회

socially 사회적으로, 사교적으로

sociable 사교적인

socialize 사회화하다, 어울리다

0098 □□□ ·니ㄷ

need 필요(하다), ~할 필요가 있다, 요구

need for ~에 필요(하다), ~동안의 필요(성)
need of ~ ~의 필요(성)
needy 가난한
needlessly 불필요하게
needn't need not의 단축
need to do ~할 필요가 있다, ~해야 한다
needless 불필요한

0099 □□□ ·트롸이

try 시도(하다), 노력(하다), 재판(하다)

trial 재판, 시도, 실험
try out 시험해보다, 시험해보기(tryout)
try on 해보다, 입어보다
try to do ~하려 (노력)하다, ~하려 시도하다

0100 □□□ ·θ잉

thing 것, 물건

nothing 아무것도 ~아닌, 없음, 하찮은 것
nothing to do 관련이 없는, 일이 없는
nothing ~ more than ~에 불과한
nothing else 그밖에 ~ 없는
first thing 맨 먼저
last thing 마지막으로, 최신 유행, 늦게

0101 □□□ 슈ㄷ

should ~일 것이다, ~하겠다, ~하여야 하다, ~할까요

shall ~일 것이다, ~하여 주겠다, ~할까, ~일까, 반드시 ~하다
< shall - should - - >
shouldn't should not의 단축

0102 □□□ ·헬ㅍ

help 도움, 돕다

helpful 도움이 되는, 유익한, 유용한
help to do ~하는 것을 돕다
help yourself "마음대로 드세요"
helpless 어쩔 수가 없는, 무력한, 도움 없는
helper 도우미, 협력자
can't help doing ~하지 않을 수 없다, 어쩔 수 없다

0103
·룩

look (바라)보다, 찾다, ~해 보이다, 표정

look at ~을 보다, ~을 검사하다

look down on ~을 낮춰 보다

look forward to ~을 기대하다[기다리다]

look like ~처럼 보인다, ~할 것 같다, 닮다

overlook 간과하다, 내려다보다, 감독하다

look to ~에 주의하다, ~에 의지하다

look for ~을 찾다, ~을 바라다, 기대하다

look up 올려다보다, 쳐다보다, 찾다

look out 밖을 보다, 주의하다

look after ~을 돌보다

look around 둘러보다, 찾아다니다

look into ~을 살펴보다, ~을 조사하다

look up to 존경하다, 우러러보다

0104
·러-은

learn 배우다, 알다 < learn - learnt, learned - learnt, learned >

learn to do ~하는 법을 배우다

learner 학습자

learn from ~에서 배우다

learn in 배우다

learn about ~에 대해 배우다

learn by ~를 통해 배우다

0105
롸이ㅌ

write 글 쓰다, 기록하다 < write - wrote - written >

writing 쓰기, 집필, 문서

writer 필기자, 저자, 작가

written 쓰인, 문자로 쓴

write about ~에 대해 쓰다

unwritten 쓰여있지 않은

rewrite 다시 쓰다, 고쳐 쓰다

write down ~을 적다, 적어놓다

0106
·투

too 너무, 또한 *부정적인 의미

too much 과도하게

too ~ to do 너무 ~해서 ~할 수 없다

too many 너무 많은

too late 너무 늦은

too far away 너무 멀리 있는

0107 ☐☐☐ ·스테이ㅌ

state 상태, 계급, 국가, 주, 말하다

statement 성명서, 진술
status 상태, 신분, 지위, 현상
state of ~ ~상태, ~주
statesman 정치가

0108 ☐☐☐ 휴먼

human 인간

humanity 인류, 인간(애), 인간성
human being 인간
human nature 인간(본)성
humankind 인류, 인간

0109 ☐☐☐ ·'브에뤼

very 아주, 매우, 정말

the very ~ 바로~ 그, ~야 말로, 맨~
very little 매우 적은, 거의 ~않는
very much 대단히, 매우
very often 자주, 흔히, 보통

0110 ☐☐☐ ·맨

man 남성, 사람

men man의 복수, 남자들
mankind 인류, 인간
unmanned 무인의, 사람이 없는
manly 남자다운
man-in-색상 ~색 옷을 입은 사람

0111 ☐☐☐ ·그롸우

grow 자라다, 늘어나다, 발전하다, ~되다 < grow - grew - grown >

growing 성장(하는), 발육(을 촉진하는)
growth 성장, 발전, 증가
grown 성장한, ~재배의, 어른의, 커진
grow into ~로 성장하다
grow on ~이 점점 좋아지다
grown-up 다 자란, 어른

0112 ☐☐☐ 뤼ㄷ

read 읽다, 독해하다 < read - read - read >

reading 독서(하는), 읽기, 읽을거리
reader 독자, 판독기, 읽는 사람
read on 계속 읽다

0113 □□□ ·그뤠잍

great 위대한, 큰

greatly 대단히, 크게, 몹시

greatness 위대함, 웅대함, 대성

0114 □□□ ·프롸블럼

problem 문제, 어려움

0115 □□□ 하이

high 높은, 높게

highly 매우, 높이

highlight 가장 중요한 부분, 가장 밝은 부분, 강조(하다)

high-end 최고급의, 최상급의

high-tech 첨단 기술의

highway 고속도로

as high as ~만큼 높이

highland 산악지대(의)

0116 □□□ ·하·우에버-

however 그러나, 그럼에도 불구하고

0117 □□□ ·인·크뤼ㅅ

increase 증가하다

decrease 줄(이)다, 감소하다

increasingly 점점 더

0118 □□□ 레잍

late 늦은, 최근의, 늦게, 최신의

later ~후에, 나중에

latest 최신의, 최근의, 가장 늦은

lately 최근에

later on 그 후로, 나중에

latter 후자의, 그 후의, 끝의

late 연도s ~년대 말의

later than ~보다 늦게

as late as ~만큼 늦게

latterly 최근에, 나중에

no later than 늦어도 ~까지는

0119 □□□ ·넘버

number 수, 번호(를 매기다)

the number of ~의 수

a number of 다수의, 몇몇의

numerous 다수의, 수많은, 셀 수 없이 많은

an even number 짝수

an odd number 홀수

0120 □□□ ·빌딩

building 건물, 건축(술)

build 건설하다, 조립하다 < build - built - built >
built 지어진, ~로 만들어진, 제작된
build up 쌓아올리다, 강화하다, 높이다
rebuild 재건하다, 재구축하다
built-in 붙박이의, 내장된
build on ~의 위에 쌓다, ~을 의지하다, ~을 증축하다

0121 □□□ ·에이블

able ~할 수 있는, 유능한, 자격 있는

ability 능력, 재능
enable 가능하게 하다
unable ~할 수 없는, 무능한, 약한
disability 무능, 불구, 무자격
able to do ~를 할 수 있는
disabled 불구가 된, 무능력해진, 망가진
enable ~ to do ~가 ~할 수 있게 하다
ability to do ~를 할 수 있는 능력
be able to do ~할 수 있다
disable 무력화하다, 불구로 만들다

0122 □□□ ·애'ㅍ터

after ~후에, 나중에, ~의 뒤에, ~을 따라

afternoon 오후
afterwards 나중에, 그 뒤에
aftermath 여파, 후유증
afterward 후에, 나중에
one afternoon 어느 날 오후, 오후 시간
after a meal 식사 후

0123 □□□ ·레ㄷ

lead 이끌다, 주도권, 납(으로 된) < lead - led - led >

leader 지도자, 선도자
lead to ~을 야기하다
leadership 지도력, 대표직
lead ~ to do ~하게 이끌다, ~하고 싶게 하다
lead to doing ~하게끔 하다
lead off (~을) 개시[시작]하다
leading 지도(하는), 이끄는, 일류의

0124 □□□ 네버

never 결코 ~않(-다), 한번도 ~않(-다), 전혀 ~없(-다)

ever 지금까지, 이전에, 항상, 언제나
nevertheless 그럼에도 불구하고
evergreen 상록수, 늘 푸른
never ever 절대로 ~않다, ~한 적 절대 없다

0125 □□□ ·Ð엔

then 그때(의), 그 다음에, 그러고는, 그러면

and then 그러고는, 그런 다음

even then 그렇다 해도, 그때에도

but then 그렇지만, 그러나 한편으로는

now and then 때때로, 가끔

0126 □□□ ·롸잍

right 오른쪽, 옳은, 권리, 정확한

all right "좋아", 괜찮은, 훌륭한[하게]

rightly 정확히, 바르게, 정당히, 마땅히

that's right "좋아", "맞아"

upright 올바른, 직립한, 정직한

rightful 합법적인, 적합한, 정당한

alright "좋아"

righteous 옳은, 당연한

0127 □□□ 싸이언티스ㅌ

scientist 과학자

science 과학

scientific 과학의, 과학적인

sci-fi 공상 과학 소설(의) (SF)

unscientific 비과학적인, 과학적으로 무지한

modern science 현대 과학

0128 □□□ ·'프얼오우잉

following 다음의 (것), 다음에 설명하는, ~후에

follow 따라가다, ~을 따르다

follower 추종자, 따르는 사람, 수행원

follow-up 후속 조치, 뒤따르는, 추적의

follow in one's footsteps ~의 뒤를 따르다

follow up on ~을 끝까지 하다, ~의 후속조치를 하다

Are you following me? "잘 이해하고 있어?"

0129 □□□ 필

feel 느끼다, 느낌, 감정 < feel - felt - felt >

feeling 느낌, 감각(있는), 의견, 감정(적인)

felt 느껴지는

feel like ~을 갖고 싶다, 하고 싶다

feel about ~를 느끼다, 더듬다

feel for ~을 동정하다

feel like doing ~할 마음이 나다

feel as ~처럼 느끼다

0130 □□□ ·완ㅌ
want 원하다, 바라다, 필요, 욕구, 부족
unwanted 요구되지 않은, 불필요한
want to do ~하고 싶다, ~할 필요가 있다
wanted 수배중인, ~을 구함

0131 □□□ ·웨어
where 어디(에), 어디에서, ~하는
whereas ~에 반하여, 그런데, 그러나
wherever ~하는 곳은 어디라도, ~하는 경우는 언제나
nowhere ~는 어디에도 없는, 무명

0132 □□□ 비·긴
begin 시작되다, 시작하다, 일으키다 < begin - began - begun >
begin to do ~하기 시작하다
beginning 시작(의), 초반(의)
the beginning of ~ ~의 시작, ~의 초기
beginnings 초기, 기원, 출신
begin with ~으로 시작하다
beginner 초보자, 초심자
begin on ~를 시작하다

0133 □□□ 워ㄷ
word 단어, 한마디 말
in other words 다시 말해서, 즉
password 암호
wordy 말의, 말 많은
keyword 핵심어

0134 □□□ ·어'픈
often 자주, 흔히
more often 자주, 흔히, 대개
as often as ~할 때마다, ~와 같은 빈도로

0135 □□□ ·인트레스ㅌ
interest 관심, 이익, 이자
interesting 흥미 있는, 재미있는
interest in ~에 관계시키다, ~에 대한 관심
interested 흥미를 가진, 불순한, 관계가 있는
interestingly 흥미롭게, 재미있게
disinterested 공평한, 무관심한
self-interest 자신의 이익, 이기심
uninteresting 재미없는, 흥미 없는
be interested in ~에 관심이 있다

0136 □□□ 뤼·절ㅌ

result 결과(를 낳다)

as a result 결과적으로, ~의 결과로서

result in ~을 야기하다, ~로 끝나다

result from ~이 원인이다, ~로 인해 발생하다

0137 □□□ 디·'벨렆

develop 발전하다(시키다), 개발하다, 발병하다

development 개발, 발전

developing 개발도상의

underdeveloped 저개발의, 미숙한

developmental 개발적인, 발달상의

developer 개발자, 개발업자

0138 □□□ ·파~ㅌ

part 부분, 편, 부품(parts)

partner 동료, 협력자, 짝, 배우자

partly 부분적으로, 어느 정도는

counterpart 상대(방), 대응하는 것, 복사본

partially 부분적으로, 일부, 불공평하게

compartment 구획, 칸막이

part-time 시간제의, 비정규의

impart 나누어 주다, 전하다, 알리다

partial 부분적인, 일부의, 편파적인

0139 □□□ ·티칰

teach 가르치다, 길들이다 < teach - taught - taught >

teacher 선생님

teaching 가르치기, 가르침(teachings)

0140 □□□ 퍂ㅌ

fact 사실

in fact 사실상

factor 요인, 원인

0141 □□□ 크뤼·에이ㅌ

create 만들다, 창조하다, 야기하다

creative 창의적인, 독창적인

creature 창조물, 생물

creativity 창조성, 독창성

creation 창조, 창작(물)

recreation 휴양, 오락

0142 □□□ ·임·포어턴ㅌ
important 중요한
importance 중요성, 중대성
importance of ~의 중요성
more important 더 중요한
importantly 중요하게
unimportant 중요하지 않은, 사소한

0143 □□□ ·나우
now 지금
nowadays 요즘은, 오늘날
from now (on) 지금부터

0144 □□□ θ루
through ~을 통해, ~을 지나서, 줄곧
throughout 도처에, 온통, 처음부터 끝까지
go through 통과하다, 겪다, 가다, 써버리다
get through 통과하다, 벗어나다, 연락이 되다, 끝내다

0145 □□□ ·뤼얼리
really 진짜, 아주
real 진짜의, 진정한, 현실의
reality 현실, 실제
in reality 사실은, 실제로는
realistic 현실적인, 실질적인
realistically 현실적으로
unrealistic 비현실적인
realism 현실주의
unreal 비현실적인, 상상의

0146 □□□ 오운
own 자신의, 소유하다, 스스로 하는
one's own 자신의
owner 주인, 소유자
ownership 소유권, 지분
owned 소속된, 속해진, ~이 소유하는

0147 □□□ ·'푸ㄷ
food 음식, 식품
fast-food 즉석 음식, 패스트푸드
wild food 야생 식품
be food for ~의 먹이가 되다
mental food 마음의 양식
organic-food 유기농 식품

0148 □□□ ·스페셜

special 특별한, 특수한

especially 특히
specific 명확한, 뚜렷한
specialized 전문적인, 분화된
specifically 명확하게, 특히
specialization 특수화, 전문화, 분화
specialize 전문으로 하다, 특수화하다, 전문화하다
specialist 전문가, 전공자, 전문의
specify 명시하다, 구체화하다, 자세히 설명하다
specially 특별히, 특수하게
specifications 명세서, 설명서

0149 □□□ ·컨트뤼

country 국가, 지역, 시골(의)

county 자치주, 행정구역
countryside 지방, 시골

0150 □□□ 이췌

each 각각

each other 서로
on each ~ 각각 ~에
each time ~때마다, 매번

0151 □□□ 호움

home 집(의, 으로, 에서), 고향의

homeowner 주택 소유자
homeless 노숙자
homework 숙제
homeland 조국, 본국
homing 고향을 찾아가는 본능(이 있는), 자동 추적의
at home and abroad 국내외에서
home run [야구] 홈런
homemaker 주부
homemade 집에서 만든, 손수 만든
homesickness 향수병, 고향의 그리움
hometown 고향

0152 □□□ 어·코-어ㄷ

accord 일치(하다), 조화(하다), 협정, 합의

according to ~에 따르면, ~에 의하면, ~에 의거하여
accordingly 따라서, 그에 알맞게
accordance 일치, 조화
in accordance with ~에 따라서, ~에 일치하는

0153 □□□ 씨·티

city 도시

citizen 시민
civilization 문명
civil 시민(들)의
citizenship 시민권
civilize 개화하다, 교화하다
civilized 문명인의, 교화된, 문명화한, 교양이 높은
civic 시민의, 도시의
civilian 일반인, 비전문가

0154 □□□ 빌·리' ㅂ

believe 믿다, 생각하다

belief 믿음, 확신, 신뢰
believe in ~을 믿다
believer 믿는 사람, 신봉자
unbelievable 믿을 수 없는, 놀라운
believable 믿을 수 있는, 신용 가능한

0155 □□□ 핸ㄷ

hand 손, 넘겨주다, 도움

on the other hand 다른 한편으로는, 반면에
handle 처리하다, 다루다, 손잡이
handful 한줌의, 한 손 가득
handicap 장애, 불리한 조건
on the one hand 한편으로는
a handful of 소수의, 한 줌의
at hand 가까운
hand in 제출하다, ~안에 넣은 손
handy 편리한, 바로 곁의, 손재주 좋은
hand out 나누어 주다, 인쇄물(handout)
hand over 넘겨주다
handshake 악수

0156 □□□ 아이·디어

idea 생각, 사상, 견해

ideal 이상(적인)
ideology 이념, 관념(론)
idealize 이상을 추구하다, 이상주의적이다
ideological 이상주의적인, 이념의, 이론적인
ideally 이상적으로, 완벽하게

0157 □□□ ·와일

while ~하는 동안, ~에 반하여, ~에도 불구하고

while doing ~하는 동안
meanwhile 그 동안에, 한편, 반면에

0158 **less** 더 적은, ~없이
레스

less than ~보다 적은, ~미만의, ~라고 할 수는 없다
much less 훨씬 더 적은, 더구나 ~은 아니다
no less 마찬가지로, 이에 못지않게
no less than ~나 되는, ~과 마찬가지로
lesser 덜, 더 적게, 부족한
lessen 줄(이)다

0159 **before** 이전에, ~의 앞에
비·'풔

beforehand 미리, 벌써, 사전에
before long 곧, 금방

0160 **call** 전화(하다), 부르다
·컬

recall 회상하다, 기억하다, 소환하다, 제품회수
call off 중지[취소]하다
so-called 이른바
call it a day ~을 그만두기로 하다
call on 요청하다, 방문하다
call for 요청하다, 필요로 하다, 부르다, 데리러 가다

0161 **national** 국가의, 국민의, 국립의
내셔널

nation 국가, 국민
nationally 전국적으로, 국가적으로
international 국제적인
native 원주민의, 토착의, 출신의
nationwide 전국적인, 국내
internationally 국제적으로, 국제간에
nationalism 민족주의, 국수주의

0162 **school** 학교
스쿨

high school 고등학교
scholarship 장학금, 학문
scholar 학자, 지식인
scholarly 학문적인, 지적인
middle school 중학교
schoolyard 학교 운동장
after school 방과 후

0163 **though** 비록 ~일지라도
·Ð오우

although 비록 ~일지라도
even though 비록 ~일지라도
as though 마치 ~인 것처럼

0164 □□□ ·케어

care 보살피다, 신경 쓰다, 주의(하다), 걱정, 관리(하다)

carefully 조심스럽게
careful 조심하는, 꼼꼼한
healthcare 의료 서비스(제도), 보건
take care 조심하다, "건강해!"
caregiver 돌보는 사람
care for ~을 돌보다, 좋아하다
careless 부주의한, 무관심한
carefulness 조심성, 신중
care about ~에 마음을 쓰다, 관심 가지다
carelessly 부주의하게, 경솔하게

0165 □□□ ·풑

put 놓다, 두다 < put - put - put >

put in ~안에 넣다, 끼어들다, 제기하다, 들이다
put on 입다, 신다, 바르다, 놓다, 켜다, ~인 체하다
put off 미루다, 연기하다
put up ~을 올리다, 세우다
put out 내(놓)다, 끄다, 내보내다, 잡다
put into ~에 들어가다, ~로 표현하다, 더하다
put together 합치다, 모으다, 조립하다, 만들다
put up with ~을 참다, 감수하다
put aside 제쳐두다, 따로 두다, 저축하다, 무시하다
put down 내려놓다, 착륙(하다), 지불하다

0166 □□□ 이·'펙ㅌ

effect 영향, 효과, 결과

effective 효과적인, 효율적인
effect on ~에 미치는 영향(을 줌), ~에 미치는 효능
effectively 효과적으로, 유력하게, 실제로, 사실상
effectiveness 유효(성), 효과(적임)
to the effect(s) of ~의 영향으로[효과로]
cause-and-effect 원인과 결과의
ineffective 비효과적인, 효력이 없는, 무능한
ineffectively 헛되게, 무익하게

0167 □□□ ·킾

keep 유지하다, 계속하다, 간직하다, (~해)두다 < keep - kept - kept >

keeping 보유, 준수
keep up 지속하다
keep ~ from doing ~하지 못하게 하다
keep up with ~를 따라잡다, 계속하다
keep away 멀리 하다
keep an eye on 감시하다
keep in ~에 머물다
keep in mind 명심하다
keep at ~을 계속하다
keep away from 멀리하다
keep on ~를 계속하다
keep to 따르다, 따라서 가다, 고수하다
keeper 지키는 사람, 사육사

0168 □□□ ·리'ㅂ

leave 떠나다, 남기다, 맡기다 < leave - left - left >

leave out 생략하다, 배제하다, 무시하다

leave behind 놓고 가다, 남기고 죽다

0169 □□□ 륄·레이션·슆

relationship 관계

relate 관련시키다, 관계가 있다, 연결되다, 이야기 하다

relation 관계, 관련

relative 상대적인, 비교적인, 관련된, 친척

related (~에) 관련된, 친족의

relatively 비교적(으로), 상대적으로

relativity 관련성, 상대성, 상대성이론(Relativity)

unrelated 관계 없는

0170 □□□ ·왇어-

water 물(의), 물을 주다

waterproof 방수(의), 방수재료

underwater 수중(용)의

waterway 수로

watery 물 같은, 물이 많은

0171 □□□ 바디

body 몸, 주요부

body's 인체의

antibody 항체

bodily 신체의

embody 구체화하다, 구현하다

0172 □□□ 다운

down 아래로, 내리다, 떨어지다, 솜털, 언덕

download [컴퓨터] 전송받다

downside 아래쪽(의), 하강(하는), 불리한

0173 □□□ ·패서지

passage 구절, 통로, 통행, 통과

pass 지나가다, 통과하다, 유통되다, 통용되다

passer-by 행인

pass by (~을)지나가다

passport 여권, 통행증

bypass 우회 도로, 샛길

pass down 물려주다

pass over 가로지르다, 무시하다, 우회하다

passer (통)행인, 나그네, 합격자, 패스하는 사람

impassable 통행할 수 없는, 폐쇄된

pass away 돌아가시다, 없어지다

0174 □□□ ·세임
same 같은, 동일하게

at the same time 동시에
about the same 거의 같은
all the same 똑같은, 그래도

0175 □□□ ·플레이ㅅ
place 장소, 놓다, 두다

take place 일어나다, 개최되다, 이루어지다, 시작되다
displacement 이동, 배수량, 배기량
displace 대신하다, 대체하다

0176 □□□ ·플레이
play 놀이(하다), 역할을 하다, 경기(하다), 연주(하다)

player 선수, 연주자, 재생기
plaything 장난감, 놀이기구
replay 다시 하다, 재연(하다), (재생)시키다
play a part 역할을 하다[맡다]
play down 폄하하다
play up to ~에게 아부하다
playful 장난기 많은, 쾌활한
playlist 노래 재생 목록
playoff 우승 결정전

0177 □□□ 머스ㅌ
must ~해야 하다, ~임에 틀림없다, 반드시 ~하다

must have done ~했음에 틀림없다
mustn't must not의 단축
must-see 꼭 봐야 함, 꼭 봐야할
must-do 필수사항, 꼭 해야 할
must-have 필수품, 꼭 필요한
must-read 필독서, 꼭 읽어야 하는

0178 □□□ 비트윈
between (~)사이에[의]

0179 □□□ 디·싸이ㄷ
decide 결정[결심]하다, 해결하다

decision 결정, 판단, 결단력
decide to do ~하기로 결정하다

0180 □□□ 헬·θ
health 건강, 보건

healthy 건강한, 건전한
unhealthy 몸에 나쁜, 병약한, 불건전한
healthcare 의료 서비스(제도), 보건
healthful 건강에 좋은, 위생적인, 건강한

0181 □□□ ·아'피ㅅ

office 사무실, 공직

officer 장교, 공무원, ~관

official 관계자, 관료, 공식의, 당국(자)

police officer 경찰관

officially 공식적으로, 정식으로

0182 □□□ ·커ㅈ

cause 원인, 이유, 유발하다

causal 원인이 되는, 인과 관계의

cause-and-effect 인과 관계의

0183 □□□ 래스ㅌ

last 마지막, 최근의, 지난번의, 계속되다

lasted 지속된

at last 마침내

lasting 영구적인, 오래 견디는

lastly 마지막으로, 결국

to the last 마지막까지, 마지막 ~까지(to the last ~)

0184 □□□ ·와이

why 왜, ~한, 이유

Why? "왜?"

Why not? "왜 아니겠어?", "~하는 게 어때?", "~하지 그래?"

0185 □□□ ·터-은

turn 돌리다, 바꾸다, 회전(하다), 순번

in turn 결국, 차례로, 교대로

turn to ~로 돌다, ~할 차례, ~로 넘어가다, ~로 변하다

turn off 끄다, (수도, 가스 등)잠그다, 흥미를 잃다

turn on 켜다, 작동시키다

turn down ~을 거절하다, 줄이다, 엎어 버리다

turn in 제출하다, 안쪽으로 향하다

turn away ~를 돌려보내다, 외면하다

turn back 되돌아가다, 되돌리다, ~을 저지하다

turn into ~이 되다, ~을 ~으로 바꾸다 ~으로 바뀌다, 위로 향하다

turn out 밝혀지다, 나타나다 결과가 나오다, ~을 끄다

turn up 나타나다, 높이다, 발견하다

0186 □□□ ·'폼

form 종류, 방식, 형태, 몸 상태

formation 형성, 구성

formal 공식적인, 정식의, 격식의, 외형의

format 형식, 체재, 판형

formally 공식적으로, 정식으로

0187 □□□ ·'베뤄어ㅅ
various 가지각색의, 여러 가지의

variety 다양성
vary 다양하다, 달라지다, 다르다, 바꾸다
a variety of 다양한, 여러 가지의
varied 다양한, 다채로운
variation 변화(량), 변형, 변동, 변주(곡)
variability 변동성, 다양성, 변화성
variable 변화하는, 변하기 쉬운, 변수(variables)
vary from ~까지 다양하다, ~마다 다르다, ~에서 벗어나다

0188 □□□ ·'페이ㅅ
face 얼굴, 표정, 직면하다

surface 표면, 나타나다, 드러나다
facial 얼굴의, 얼굴용의
facing 직면, 겉단장, ~향함
a long face 우울한 얼굴
in the face of ~의 정면에서
be faced with ~에 직면하다
face-to-face 마주보는, 직면의
preface 머리말
make[pull] a face 얼굴을 찌푸리다

0189 □□□ ·얼-리
early 초기, 이른

0190 □□□ ·써-비ㅅ
service 서비스(하다), 제공하다, 근무, 공급

serve 제공하다, 복무[근무]하다, 봉사하다, 대접하다
serving 1인분(음식), 제공하는
servant 하인

0191 □□□ ·어 '퓨
a few 어느 정도, 조금

few 몇몇의, 소수의, 거의 없는
fewer 이하의, 더 적은
only a few 몇 안 되는

0192 □□□ ·에어
air 공기(의), 공중(의), 외모, 태도

airplane 비행기
airport 공항
airline 항공사, 항공로
aircraft 항공기
aerospace 항공우주(의), 대기권 이상(의)
aerobic (유)산소의, 산소가 필요한
air-conditioner 에어컨
on the air 방송 중에, 항공편으로
on-air 방송 중인

0193 □□□ ·에커·나믹

economic 경제(학)의

economy 경기, 경제, 절약
economist 경제학자
economical 경제적인, 절약하는
economics 경제학
economically 경제적으로, 절약적으로

0194 □□□ 랭귀쥐

language 언어

body language 몸짓 언어

0195 □□□ ·얼·웨이ㅈ

always 항상

not always 언제나 ~가 아니(-다)
as always 늘 그렇듯

0196 □□□ ·페이

pay 치르다, 지불(하다), 갚다, 임금 < pay - paid - paid >

pay off ~을 다 갚다, 성과를 올리다, 해고하다, 보상, 퇴직금
payment 지불, 납입, 지급, 대금, 보수
pay attention to ~에 주목[주의]하다
paycheck 급료
payee 수령인
well-paid 급료가 좋은
pay back 되갚다, ~에게 복수하다
payer 납부자, 발행인
payroll 급료(총액)
unpaid 무보수의, 미지급의

0197 □□□ ·백

back 뒤(의), 뒤로, 뒷면, 등

back to 원래로, ~로 되돌아
backward 뒤로, 뒤쪽으로, 거꾸로
back into 되돌아가다, 후진해 들어가다
back and forth 이리저리로의, 앞뒤로의, 결론 없는 논쟁
back off 뒤로 물러나다, 뒷걸음치다
back up 지원하다, 후진하다, 예비하다, 지원(backup)

0198 □□□ ·'패멀리

family 가족(의)

familiar 익숙한, 친숙한, 잘 아는
unfamiliar 낯선, 잘 모르는, 드문, 이상한
be familiar with ~에 익숙하다, ~에 잘 알다
familiarity 정통, 친함, 친밀
familiarize 익숙하게 하다
familiarized 익숙한, 잘 아는
family name 성姓
family tree 가계도, 족보

0199 □□□ ·파우어

power 힘, 권력, 동력

powerful 강력한, 효과적인

powerfully 강력하게

0200 □□□ ·오-더

order 명령(하다), 주문(하다), 질서, 순서, 정돈(하다)

disorder 무질서, 장애, 질환, 혼란

ordain (운명이) 정하다, 명령하다, 규정하다

orderly 정돈된, 질서 있는, 예의 바른, 당번

out of order 고장 난

0201 □□□ ·스픽

speak 말하다, 연설하다 < speak - spoke - spoken >

speaker 발표자, 화자, 소리 나는 장치

spoken ~하게 말하는

spoke 바퀴살(을 달다)

spokesman 대변인

unspoken 암묵적인, 무언의

outspoken 노골적으로 말하는

speak for ~를 대변하다

0202 □□□ ·아ㅌ

art 예술, 기술

artist 예술가

artifact 인공물, 공예품

artificial 인조의, 인공의, 인위적인, 거짓된, 꾸민

artistic 예술적인, 정교한

artwork 삽화, 수공예품

artificial-intelligence 인공 지능 (AI)

artificially 인위적으로, 부자연스럽게

0203 □□□ ·네이쳐-

nature 자연, 본성

natural 자연의, 천연의, 당연한

naturally 자연히, 본래, 타고 나기를, 당연히

supernatural 초자연적인, 불가사의한

unnatural 부자연스러운, 인위적인

0204 □□□ 씸

seem ~것 같다, ~처럼 보이다

seem to do ~할 것 같다

seem 형용사 ~처럼 보이다

seemingly 겉보기에

seem like ~처럼 보이다

0205 □□□ 씨스템
system 체계, 조직
systematic 조직적인, 계통적인, 규칙적인
(the) solar system [우주] 태양계
systemic 체계적인, 조직적인, 전신의

0206 □□□ ·어·롸운ㄷ
around 주변에, 사방에서, ~쯤
around the world 세계 일주의
around (the) corner 모퉁이를 돈 곳에, 아주 가까운, 목전인
all around 다방면에, 만능의
go around 돌다, 돌아다니다, 퍼지다
be around 주변에 있다, (잠에서) 일어나다, 찾아오다
get around 돌아다니다, ~을 설득하다

0207 □□□ 베·어
bear 낳다, 견디다, 부담하다, [동물] 곰 < bear - bore - born >
birth 탄생, 출생
born 타고난, ~로 태어난
birthday 생일
firstborn 첫째 아이
bore 구멍(내다), 지루하게 하다, 지루한
newborn 갓 태어난, 신생의
unbearable 견딜 수 없는, 참기 어려운
지역의-born ~지역 출신의

0208 □□□ 컬쳐
culture 문화, 재배, 교양
cultural 문화의, 교양적인
subculture 하위문화 *소집단 문화
culturally 문화적으로, 교양으로서
multicultural 다문화의

0209 □□□ ·거'번먼ㅌ
government 정부, 통치
govern 통치하다, 지배하다
governor 주지사, 통치자
governing 통치하는, 지배적인
governmental 정부의
governance 지배(권), 통치, 관리

0210 □□□ ·어'ㅍ
off 없어져, 떨어져서, 벗어나
offset 상쇄(하다)
be off 떠나다, 출발하다, 약화되다

0211 □□□ ·컴퍼니

company 회사, 단체

accompany 동반하다, 수반하다

companion 동반자, 동행

companionship 동료애, 우정

0212 □□□ 펄·리티클

political 정치적인, 정치의

policy 정책, 방침

politician 정치가

politics 정치(학), 정책

poll 여론조사(하다), 선거, 투표(하다)

politically 정치적으로

0213 □□□ ·렡

let ~하게 해주다, 허락하다, 빌려주다 < let - let - let >

let ∽ do ~에게 ~시키다[하게 해주다]

Let's let us의 단축, ~하자, 한번 ~하자

let ∽ go ~을 놓다[풀어주다]

let ∽ down ~을 실망시키다, ~을 아래로 내리다

let up 약해지다, 누그러지다

let down 실망시키다, 늦추다

let one's hair down 느긋해지다

let sleeping dogs lie 자는 개를 건들지 마라 *괜히 문제 만들지 말라

0214 □□□ ·우먼

woman 여자

women 여자들

0215 □□□ 밑

meet 만나다, 모임, 충족시키다, 직면하다, 회견하다 < meet - met - met >

meeting 모임, 회의, 만남, 교차점

meet with 맞닥뜨리다, 경험하다, ~와 만나다

0216 □□□ 오울ㄷ

old 오래된, 나이든, 노인들

숫자-year-old ~살의

old-fashioned 구식의, 보수적인

0217 □□□ ·센ㅅ

sense 감각, 의식, 느끼다, 감지하다

sensitive 세심한, 예민한
sensible 분별 있는, 합리적인, 느낄 수 있는
sensitivity 민감성, 예민함
sensation 엄청난 화제, 감각, 느낌, 감동
sensor 센서, 감지기
in a sense 어떤 의미에서
nonsense 무의미한 말, 말도 안 되는
sensibility 감성, 감각
make sense of ~을 이해하다
sensational 선풍적인 인기의, 선정적인
sensual 감각적인, 관능적인
five senses 오감

0218 □□□ ·언더·스탠ㄷ

understand 이해하다, 알다 < understand - understood - understood >

understanding 이해(력), 지식, 이해력 있는
understood 이해한, 암묵의, 동의된
misunderstanding 오해, 불화
misunderstand 오해하다, 착각하다
understandable 이해할 수 있는, 알만한

0219 □□□ ·파서블

possible 가능한

impossible 불가능한
possibility 가능성, 기회
possibly 아마도, 어쩌면

0220 □□□ 뤼·써-취

research 연구(하다), 조사(하다)

researcher 연구원, 조사원
R&D 연구 개발 (Research and Development)

0221 □□□ ·어 랕

a lot 많이, 다수

a lot of 많은
lot 운(명), 제비뽑기(하다)
lots 매우, 훨씬 더
lottery 복권, 제비 뽑기

0222 □□□ ·에이쥐

age 나이, 시대, 시기, 늙다

aging 나이 듦, 노화(하는), 숙성
under-age 미성년자의

0223 □□□ ·애스ㅋ

ask 부탁하다, 요구하다, 질문하다

ask for 요구하다, ~을 찾아오다
asking 요구(하는), 질문(하는), 청구(하는)

0224 □□□ ·잡

job 일(자리)

job-related 직업과 관련된, 업무상의

job-seeker 구직자

0225 □□□ 쎈츄뤼

century 세기, 백 년

서수-century (서수)세기

cent 센트 *100분의 1달러

half-century 반세기

mid-서수-century ~세기 중반의

early-서수-century ~세기 초의

late-서수-century ~세기 말의

0226 □□□ ·츄ㅈ

choose 선택하다 < choose - chose - chosen >

choice 선택(된), 고급의

0227 □□□ ·'프렌ㄷ

friend 친구

friendly 친한, ~친화적인, 친선경기

friendship 우정

friendliness 우정, 친절, 친선

boyfriend 남자친구, 애인

eco-friendly 환경 친화적인

unfriendly 적대적인, 형편이 나쁜

be on friendly terms with 친구로 지내다

0228 □□□ ·머니

money 돈, 금전

make money 돈을 벌다

pocket money 용돈

0229 □□□ ·무'ㅂ

move 이동(하다), 행동(하다), 이사(하다)

movement 운동, 움직임, 이동

moving 이동(하는), 감동(시키는)

movable 움직일 수 있는, 이동식의

move on ~로 넘어가다, 옮기다

move in 이사 오다, ~에서 지내다

move out 이사 나가다

immovable 고정된, 움직이지 않는

moved 감동받은

mover 움직이는 것[사람]

0230 □□□ ·텔

tell 말하다, 이야기하다 < tell - told - told >

teller 말하는 사람, 은행 계원

tell A from B A와 B를 구별하다

tell a lie 거짓말하다

tell off 호통치다

0231 □□□ ·루즈

lose 잃다, 지다, 감소하다 < lose - lost - lost >

lost 잃은, 패배한, 길 잃은

lose weight 살을 빼다

lose one's temper 화를 내다, 흥분하다

lose sight of 안 보이다, 잃다

lose face 체면을 잃다

lose out 놓치다, 손해보다

loser (실)패자, 잃은 사람

0232 □□□ 스뫌

small 작은, 소형의

smallpox 천연두

0233 □□□ ·로우

low 낮은, 최저의, 적은

lower 낮추다, 내려가다, 보다 낮은, 하부의

below 아래에, ~보다 아래

lowland 저지대(의)

lowly 낮은, 하찮은

0234 □□□ ·래Ð어

rather 다소, 꽤, 오히려

rather than ~보다는, ~하지 말고

would rather 차라리 ~하겠다[하고 싶다]

0235 □□□ ·트루

true 사실(의), 진짜의, 진실한, 정말로

truth 진실(성), 사실, 진리

truly 진실로, 거짓없이

be true of ~에 적용되다

untrue 사실이 아닌

truthful 정직한, 성실한, 진실의

0236 □□□ 어·디션

addition 추가(물), 덧셈

in addition 게다가
in addition to ~에 더하여
add 더하다, 추가하다
additional 부가적인, 추가의
added 추가된
additionally 게다가, 부가적으로
add in 포함시키다
add to 더하다
add up 말이 되다, 앞뒤가 맞다
add-on 추가물

0237 □□□ ·브뤠잌

break 깨지다, 고장 나다, 파괴하다, 틈, 중단, 휴식 < break - broke - broken >

broken 깨진, 부러진, 고장 난
break into 침입하다, ~하기 시작하다
broke 깨다, 고장(내다), 중단(하다), 갈라진 틈
breaking 파괴, 단선, 취소하기, 중단하기
breakdown 고장, 파손, 붕괴
break in 침입하다
break out 발생하다, 달아나다
break up 부서지다, 끝이 나다, 방학에 들어가다
breakthrough 돌파구, 큰 발전, 약진
outbreak 발생, 발발, 폭발
break down 고장 나다, 실패하다
break off (억지로) 분리되다, 멈추다
break apart 갈라지다

0238 □□□ ·뤼즌

reason 이유, 근거, 이성

reasonable 도리에 맞는, 논리적인, 비싸지 않은
reason to do ~할 이유(가 있다)
reason for ~대한 이유(가 있다)
reason for doing ~하는 이유

0239 □□□ ·애니멀

animal 동물(의)

0240 □□□ 잌·스피뤼언ㅅ

experience 경험(하다), 체험(하다)

experienced 경험이 있는, 능숙한
inexperience 경험 부족, 미숙
inexperienced 경험이 부족한, 미숙한

0241 □□□ ·하-ㄷ

hard 어려운, 열심히, 단단한

- **hardly** 거의 ~않다, 고되게
- hardship 어려움, 곤란
- hardy 튼튼한, 강한, 대담한
- hardened 굳어진, 완고한
- be hard on ~에게 심하게 대하다
- harden 딱딱해지다, 굳게 하다

0242 □□□ 뤈

run 달리다, 운영하다, 작동하다, 실시하다 < run - ran - run >

- in the long run 장기적으로는, 결국에는
- run off 도망치다, 흘러넘치다
- runner 주자, 달리는 사람
- run into ~에 부딪히다, 우연히 만나다
- forerunner 선구자, 전조
- run across 횡단하다, 우연히 마주치다, 가로질러 달리다
- run away 도망가다, 도망자(runaway)
- run for ~에 출마하다
- run on 운행하다, 계속되다
- run out of ~을 다 써버리다
- run to ~로 달려가다, ~에 달하다

0243 □□□ 유·나잍

unite 통합하다, 통일하다, 하나가 되다

- **union** 연합 조직, 연방, 조합
- uniform 제복, 획일적인, 균등한
- unify 통합[통일]하다
- unity 통합, 단일, 통일, 조화, 일치
- unified 합쳐진
- unification 통일, 단일화
- uniformity 동일(성), 획일성, 균일성
- united 통합한, 합병한

0244 □□□ ·영

young 젊은, 어린, 미숙한, 경험 없는

- **younger** 연하의, 어린 쪽의
- **youth** 젊음, 어린, 젊은이, 청년시절
- youngest 최연소, 막내
- youngster 청소년, 아이
- youthful 젊은, 기운찬

0245 □□□ ·이·지
easy 쉬운, 편한, 쉽게

easily 쉽게, 편안히
ease 진정시키다, 편함, 마음 편하게, 넉넉함
with ease 용이하게
make it easy 편하게 해주다
easy to do ~하기 쉬운
easygoing 태평한, 게으른
uneasy 불안한, 불편한, 어려운

0246 □□□ 라·즤
large 큰, 넓은

largely 주로, 대량으로, 과장해서
at large 일반적인, 대체적인, 대체적으로
enlarge 크게 하다, 확대하다

0247 □□□ ·스타-ㅌ
start 출발(하다), 시작(하다), 움직이다

start doing ~하기 시작하다
start to do ~하기 시작하다
starting 출발(하는), 개시(하는)
start with ~부터 시작하다
restart 재출발시키다, 재개하다, 재시동(하다)
start-up 신생 기업, 창업의, 개시의, 시동

0248 □□□ ·드롸이'ㅂ
drive 운전하다 < drive - drove - driven >

driver 운전자
driving 운전(방식)
driven 움직인, 몰아가는, 몰려가는
driveway 진입로, 차도
drive-through 차에 탄 채, 차로 지나가는, 차타고 둘러보는

0249 □□□ 텤·날리쥐-
technology 기술, 공학

technique 기법, 기술
technically 기술적으로, 전문적으로
technological 기술의
tech 공대, 기술 *technology의 줄임, 기술적인 *technical의 줄임
technical 기술적인, 전문적인, 공업의
high-tech 첨단 기술의
technician 기술자, 전문가
technologically 기술적으로
technologist 과학 기술자, 공학자

0250 □□□ ·라이

lie 거짓말(하다) < lie - lied - lied >, 눕다, (누워)있다 < lie - lay - lain >

lay (알을) 낳다, 놓다, 두다, 눕히다 < lay - laid - laid >

lying 거짓말(하는), 거짓(의)

laid 눕힌, 놓인

layer 층(을 이루다), 겹(쳐 입다), 막

lay down 드러눕다, 버리다, 내려놓다

lay off 그만두다, 해고하다

lay on 눕다, 제공하다, 넘어지다, 놓다

layout 배치(도), 설계, 구조, 기획

liar 거짓말쟁이

0251 □□□ ·마-커ㅌ

market 시장

marketing 시장 거래, 매매, 마케팅

marketplace 시장

stock market 증권 거래소

global market 세계 시장

marketer 마케팅 담당자, 판매자

supermarket 슈퍼마켓

0252 □□□ 프러-'바이ㄷ

provide 제공하다, 공급하다, 준비하다

providing 만약 ~한다면, 제공

provide A with B A에게 B를 제공하다

provided 만약 ~한다면, 준비된, 제공된

provider 공급자

0253 □□□ ·셑

set 세우다, 세트, 놓다 < set - set - set >

setting 환경, 놓음, 조절

set up ~을 세우다, 설치하다, 설정하다, 유발시키다

set out 출발(하다), 착수하다, ~을 정리하다, 명시하다

set off 출발하다, 터트리다, 작동시키다, 유발하다

set about ~을 공격하다, 시작하다

set in 시작하다, ~로 설정된, 세우다, 고정된(set-in)

onset 시작, 습격

set aside ~을 한쪽에 놓다, 안배하다, 취소하다, 비축(하다)

setback 방해, 차질, 후퇴

set down ~을 적어 놓다, ~을 내려놓다, ~을 정하다, 착륙하다

set forth 출발하다, ~을 발표[진술]하다

0254 □□□ 썩-세ㅅ

success 성공(하다)

successful 성공한, 잘된

succeed 성공하다, 뒤를 잇다, 계속되다

successfully 성공적으로, 잘

unsuccessful 성공하지 못한, 실패한

succeed in ~에 성공하다

succeed to 뒤를 잇다, 물려 받다

0255 □□□ ·써-튼

certain 특정한, 어떤, 확실한

certainly 확실히, 틀림없이
certified 보증된, 허가된
certify 증명하다
uncertainty 불확실(성)
ascertain 확인하다, 확정하다, 규명하다
certification 증명(서)
certainty 확실한 것, 확실성
uncertain 불확실한
uncertainly 불확실하게

0256 □□□ ·두륑

during ~동안, ~중에, ~사이에

0257 □□□ ·라

law 법(률), 법학

lawyer 변호사
lawmaker 국회의원
law-abiding 준법의
lawsuit 소송, 고소
outlaw 불법화하다, 금지하다, 무법자
lawless 무법의
가족명칭-in-law (brother-)처남, 매형, 형부, (sister-)형수, 처제, 시누이
(father-)장인, 시아버지, (mother-)장모, 시어머니

0258 □□□ ·슈어

sure 확실한, 확실히, "물론이지"

ensure 보증하다, 확실하게 하다
assure 보증하다, 확신하다, 확실하게 하다
surely 확실히, 정말로, "설마"
unsure 불확실한, 자신이 없는
be sure that ~을 확신하다
be sure to 꼭 ~을 하라
insurance 보험

0259 □□□ 컨·씨더

consider 여기다, 생각하다, 고려하다, 숙고하다

considerable 상당한, 중요한
considering ~을 고려하면
consideration 심사숙고, 사려 깊음
considerably 상당히
inconsiderate 사려 깊지 못한
considerate 사려 깊은, 신중한

0260 □□□ 컴·플리ㅌ

complete 완전한, 전부의, 완료하다

completely 완전히, 철저히
completion 완료, 완성
completeness 완성, 완전
incomplete 불완전한

0261 □□□ ·쇠오우

show 보여주다, 쇼, 상연 < show - showed - shown >

show up 눈에 띄다, ~을 나타내다
showcase 유리 진열장, 진열(하다), 소개하다
sideshow 사이드쇼 *서커스나 쇼에서 벌이는 여흥

show me the money "돈 줘"

0262 □□□ 마인ㄷ

mind 마음, 생각, 기억, 싫어하다, 신경 쓰다

remind 생각나게 하다, 상기시키다
minded 마음이 있는, ~한 마음인, ~에 열심인
reminder 상기시키게 하는 것
mindful 주의하는, 유념하는
never mind "걱정하지 마", "신경 쓰지 마"
open-minded 편견 없는, 허심탄회한
mindfulness 명상, 주의력
remind A of B A에게 B를 생각나게 하다

Do you mind (if ~ ?) (~면) 안돼?

0263 □□□ ·잍

eat 먹다, 부식시키다 < eat - ate - eaten >

eat out 외식하다
eaten 먹은
edible 먹을 수 있는
half-eaten 반쯤 먹은
inedible 먹을 수 없는, 못 먹는
overeat 과식하다

I'll eat my hat. "내 손에 장을 지진다."

0264 □□□ ·스틸

still 아직, 지금까지도, 조용한, 그럼에도 불구하고

0265 □□□ ·인·클루ㄷ

include 포함하다

exclude 배제[제외]하다, 차단하다
exclusively 배타적으로, 독점적으로
exclusive 독점적인, 유일한
exclusion 배제, 추방
include in ~에 포함하다
preclude 막다, 배제하다

0266 □□□ ·오우픈

open 열다, 개방하다, 열린, 공개된

opening 열기, 개방, 처음의
be open to ~에 개방되어 있다, ~를 받아들이다
openly 공공연하게, 터놓고
reopen 다시 열다, 재개하다
opener (병)따개

0267 □□□ 하우ㅅ

house 집, 가정

household 가정(의), 가족(의)
housewife 주부
housework 집안일, 집안일
housekeeper 가정부, 주부
penthouse 팬트하우스 *꼭대기 층에 있는 고급 주택

0268 □□□ 씬ㅅ

since ~이래로, ~이후, 그 후, ~때문에

0269 □□□ ·클래ㅅ

class 등급, 학급, 수업, 계층, 분류하다

classroom 교실
classify 분류하다
classic 고전적인, 전형적인
middle-class 중산 계급의
classmate 동급생, 반 친구
classified 분류된, 기밀의
classical 고전 문학의, 고전주의의, 전통적인
classification 분류(법)
low-class 하급의, 하류의
서수-class (서수)등급

0270 □□□ 호울ㄷ

hold 보유하다, 열다, 잡다, 담다 < hold - held - held >

holding 소유(지), 점유, 보유 주식
uphold 지키다, 지지하다, 확정하다, 유지하다
holder 보유자, 소유주, 받침
hold back 저지하다, 제지하다
hold on to 고수하다, 지키다
hold up 견디다
withhold 보류하다, 억제하다 < withhold - withheld - withheld >

0271 □□□ ·카인ㄷ

kind 종류, 친절한

a kind of 일종의
kindness 친절, 상냥함

0272 □□□ ·텀-

term 기간, 학기, 용어

terms 조건, 말투, 관계, 협약, 기간, 요금

long-term 장기적인

in terms of ~에 있어서, ~에 관하여

short-term 단기(간)의

on good terms 사이좋은

midterm 중간의, 중기, 중간고사(midterms)

0273 □□□ ·타이ㅍ

type 유형, 종류, 타자기로 치다

typically 전형적으로, 일반적으로

typical 전형적인, 평범한

0274 □□□ ·애드버-·타이ㅈ

advertise 광고하다 (=advertize)

advertising 광고(업)

ad 광고 *advertisement의 줄임

advertisement 광고

advertiser 광고주 *광고를 의뢰한 고객

0275 □□□ ·인'풔·메이션

information 정보, 지식

inform 알리다, 통지하다

informative 정보를 제공하는, 지식을 주는, 유익한

IT 정보기술 (Information Technology)

uninformed 무식한, 정보가 부족한

0276 □□□ ·웨Ð어-

whether ~인지 어떤지, ~인지 아닌지

either 둘 중 하나(의)

neither 둘 다 아닌

neither A nor B A도 아니고 B도 아니다

either A or B A가 아니면 B, A이거나 B

0277 □□□ ·유쥬얼리

usually 보통, 대개

unusual 보통이 아닌, 별난

usual 보통의, 평상시의

unusually 비정상적으로, 특이하게, 대단히

0278 □□□ 북

book 책, 예약하다, 장부(기입하다)

bookstore 서점
booking 예약, 장부 기장, 등기, 티켓 구입
e-book 전자책
booklet 소책자
bookshop 서점
workbook 학습장, 연습장

0279 □□□ ·에듀·케이션

education 교육

educational 교육의, 교육적인
educate 교육하다
educator 교육자
non-educated 교육받지 않은
well-educated 잘 교육된, 교양 있는

0280 □□□ 라이ㅌ

light 빛, 가벼운 < light - lit, lighted - lit, lighted >

slightly 약간, 조금
slight 약간의, 가냘픈
lightning 번개(같은)
lighting 조명(장치), 점화, 명암
lightweight 가벼운
enlighten 계몽하다, 교화하다
lighter 더 가벼운, 더 밝은, 라이터
lit 빛나는, 환한
lightbulb 백열 전구
lighten 가볍게 하다, 밝게 하다
lighthouse 등대
lightly 가볍게, 약간, 경솔히
twilight 해질녘, 황혼(기)

0281 □□□ ·텈

talk 말하다, 대화하다

talker 이야기하는 사람, 연설자
talkative 수다스러운, 말 많은

0282 □□□ ·퍼블릭

public 공공의, 공적인, 공립의

0283 □□□ ·프롸우세ㅅ

process 과정, 진행(하다), 처리(하다)

process of ~ ~의 과정
proceed 나아가다, 계속하다, 시작하다
procedure 순서, 절차, 진행
processor [컴퓨터] 처리장치

0284 □□□ 브뤠인

brain 뇌

brainstorming 아이디어 쥐어짜기
brainchild 두뇌의 소산, 창작물, 발명품
braincase 두개골
brainpower 지력, 지능

0285 **fall** 떨어지다, 추락, 폭포 < fall - fell - fallen >
·'쬘

fell 넘어뜨리다, 벌채(하다), *fall의 과거
fallen 떨어진, 쓰러진
fall to ~에 떨어지다
fall away 서서히 줄어들다, 사라지다
fall down 약하다, 부족하다
fall off 떨어지다
waterfall 폭포(수), 낙수

0286 **train** 열차, 훈련하다
트뤠인

training 훈련, 연습
trainer 교관, 조련사, 훈련도구

0287 **close** 닫다, 끝내다, 가까운, 정밀한
클로우ㅈ

closely 접근하여
closed 닫은, 비공개의, 종료된
closer 가까운, 최종회
enclose 동봉하다, 에워싸다
be close to ~에 가깝다
closure 폐쇄, 종료
disclose 노출시키다, 폭로하다

0288 **point** 요점, 점, 가리키다
·퍼인ㅌ

to the point 딱 맞는, 요령 있는, 간결한
point to ~을 가리키다

0289 **require** 필요하다, 요구하다, 규정하다
·뤼·콰이어-

requirement 필수조건, 필수품, 요구
requisite 필요한, 필수품

0290 **individual** 개인의, 각각의, 개성 있는
·인디·'비쥬얼

individualistic 개인주의적인
individuality 개성, 특성, 인격
individualism 개인주의, 개성
individually 개별[개인, 개성]적으로

0291 **control** 통제(하다), 관리하다, 제어(하다)
컨·트롸울

self-control 자제(력)
uncontrollable 통제할 수 없는
uncontrolled 억제되지 않은, 자유로운
controller 관리자, 조종 장치

0292 □□□ 히스퉈리

history 역사, 이력

historical 역사적, 역사상의
historian 역사학자
prehistoric 선사시대의
historic 역사적인, 역사의
historically 역사적으로, 역사상의
pre-history 선사시대

0293 □□□ 퍼센ㅌ

percent 백분율 %, 비율

percentage 백분율, 비율

0294 □□□ ·퀘스쳔

question 질문, 문제, 의문, 의심

out of the question 불가능한
questionable 의심스러운, 수상한
questioner 질문자, 심문자
questionnaire 설문지, 질문사항
quest 탐색[탐구](하다)

0295 □□□ ·롸이ㅈ

rise 상승(하다), 일어서다, 치솟다 < rise - rose - risen >

arise 일어나다, 생기다, 발생하다 < arise - arose - arisen >
rising 떠오르는, 올라가는, 폭동
risen 오른, 일어난, 부활한
rose 장미(빛), rise의 과거
arouse 일으키다, 깨우다, 자극하다
uprising 반란, 폭동, 일어섬, 오르막
arise from ~에서 발생하다
on the rise 상승세인
rouse 각성시키다, 깨우다

0296 □□□ ·리틀

little 작은, 조금, 어린

a little 조금의, 작은
belittle 하찮게 만들다
little by little 조금씩, 서서히

0297 □□□ ·스펜ㄷ

spend 쓰다, 소비하다, 낭비하다, 산란하다 < spend - spent - spent >

spent 지친, 다 써버린, 산란한
spend in ~에 (시간)보내다, ~에서 지내다
spend on ~에 (돈)쓰다

0298 end 끝(나다), 끝내다
·엔ㄷ

the end of ~ ~의 끝, ~의 말
endless 끝없는, 무한한
in the end 결국, 마지막에
end up 결국 ~로 마치다
ending 결말(내는), 끝부분
low-end 싸구려의
never-ending 끝없는, 영원한

0299 yet 아직, 이미, 그럼에도 불구하고
옡

not yet 아직 ~않(-다)
just yet 이제 방금

0300 solve 해결하다, 풀다
·쌀'ㅂ

solution 해결, 용해, 분해
resolve 해결하다, 결심(하다), 분해하다
dissolve 녹(이)다, 해산하다, 해약하다, 분해하다
insolvent 파산한, 지불불능의
resolutely 단호히, 결연히
resolution 해결, 결의
resolute 결심한, 확고한
resolve to do ~하려 결심하다
solvable 해결할 수 있는, 풀 수 있는
unsolvable 해결할 수 없는

0301 value 가격, 가치, 평가(하다)
·'밸류

evaluate 평가하다
valuable 소중한, 귀중한, 가치가 큰
evaluation 평가
valuation 평가(액), 가치평가
devaluation 평가 절하, 가치 저하
invaluable 매우 귀중한, 측정할 수 없는
valueless 가치 없는, 하찮은

0302 week 주, 일주일(간)
·윅

weekend 주말(의)
weekends 주말마다, 주말에는
weekday 평일(의), 주중
weekly 매주의, 주마다, 주간지
weekdays 평일에, 주중에
숫자-week (숫자)주의

0303 □□□ ·비즈니ㅅ
business 사업, 기업
businessman 사업가, 임원, 간부
on business 업무상으로, 출장

0304 □□□ 필리ㅅ
police 경찰, 치안을 유지하다
policeman 경관, 순경

0305 □□□ ·바이
buy 구입하다 < buy - bought - bought >
buyer 구매자, 수입국

0306 □□□ 코·어ㅅ
course 진행, 진로, 과정, 강의
of course 물론
in the course of ~동안

0307 □□□ ·디'퍼컬ㅌ
difficult 어려운, 힘든
difficulty 곤란, 어려움

0308 □□□ ·해픈
happen 일어나다, 발생하다
happening 일, 사건
happen to ~에게 일어나다

0309 □□□ 빅
big 큰, 중대한
bigger than ~보다 더 큰

0310 □□□ ·클리어
clear 명확한[하게 하다], 밝은, 순수한, 치우다
clearly 뚜렷하게, 명확히, 똑똑히
unclear 불확실한, 이해하기 어려운, 잘 모르는
clarify 명확하게 하다, 분명히 말하다, 정화하다
clarity 명확성, 선명도
clear up (날씨가) 개다, (질병이) 없어지다

0311 □□□ 디·펜ㄷ (어ㅍ)안
depend (up)on ~에 의존하다[기대다], ~을 믿다, ~에 달려있다
independent 독립한, 독자적인, 무소속의
dependent 의존하는, 의지하는
independence 독립, 자립
be dependent upon ~에 의존하다
dependency 의존, 종속물, 속국
independently 독립적으로, 자주적으로
dependence 의존, 신뢰

0312 □□□ 보·θ

both 둘 다

both A and B A와 B 둘 다

0313 □□□ ·헤ㄷ

head 머리, 수석, 우두머리, 지휘하다

headache 두통, 골칫거리
headquarter ~에 본부를 두다
overhead 머리 위로
heading 제목, 방향, [축구] 헤딩
forehead 이마, 앞부분
headline 표제(를 달다), 주요 뉴스들
headquarters 본부, 사령부
headless 머리가 없는
headlight 전조등
header [축구] 헤딩

0314 □□□ ·로우클

local 지역의, 현지의

locate 위치 파악하다, ~에 있다, ~에 두다
location 위치, 장소, 입지
allocate 할당하다, 배분하다, 배치하다
localize 지방화하다
locally 지역적으로, 현지에서
relocate 이전하다
allot 할당하다, 분배하다, 충당하다
localism 지역주의, 지역색
logicality 논리성

0315 □□□ ·그룹

group 집단, 단체

0316 □□□ 밀리언

million 백만(의)

millionaire 백만장자

0317 □□□ ·인스턴ㅅ

instance 보기, 사례

for instance 예를 들면

0318 □□□ ·메디클

medical 의료의, 의학의

medicine 의약품, 의학
medicinal 약효가 있는
medical school 의과 대학
medication 약(물), 약물치료
medical care 의료, 건강관리
medic 의료진, 위생병
medical center 의료 센터
medically 의학적으로

0319 □□□ ·뤠이ㅌ
rate 비율, 요금, 평가하다, 등급

heart rate 심박동수
rating 평가, 등급, 평점
at a rate of ~의 비율로
interest rate 금리, 이율
exchange rate 환율

0320 □□□ ·배ㄷ
bad 나쁜, 틀린

badly 나쁘게, 부정확하게, 서투르게

0321 □□□ 비·헤이'비어-
behavior 행동

behave 행동하다, 처신하다
behavioral 행동의
behaviour 행동 *behavior의 영국식 표기
misbehave 비행을 저지르다, 나쁜 짓을 하다
misbehavior 비행, 나쁜 짓

0322 □□□ 인·'바이뤈먼ㅌ
environment (자연)환경, (주변)환경, 상황

environmental 환경의, 주위의
environment(ally)-friendly 환경 친화적인
environmentally 환경적으로

0323 □□□ ·'파-
far 멀리 있는, 떨어진, 훨씬

far from 전혀 ~이 아닌, ~에서 먼
farther 더 멀리, 더 먼, 훨씬
in so far as ~하는 한
faraway 먼, 멀리 떨어진

0324 □□□ ·테스ㅌ
test 시험(하다), 검사(하다), 실험(하다)

testing 시험, 실험
untested 시험되지 않은

0325 □□□ ·'프뤼
free 자유로운, 자유롭게(하다), 무료의, ~이 없는

freedom 자유
freely 자유롭게, 마음대로
free of charge 무료로
freelance 자유계약(으로 일하는)
be free to do ~을 마음껏 하다
freelancer 자유계약직 종사자
smoking free 금연의
sugar free 무설탕의

0326 □□□ ·프뤠즌ㅌ

present 있는, 참석한, 현재(의), 선물, 수여하다

presence 존재, 출석, 주둔
presentation 발표, 제출, 표시, 수여
presently 현재, 곧, 최근

0327 □□□ 페일

fail 실패(하다)

failure 실패(자), 부족, 실수

0328 □□□ ·인·스테ㄷ

instead 대신에

instead of ~대신에

0329 □□□ ·플리ㅈ

please 기쁘게 하다, 부디

pleasure 즐거움(을 주다), 기쁨(을 주다), 쾌락
pleasant 즐거운, 좋은, 쾌적한
pleased 좋아하는, 만족스러운
unpleasant 불쾌한, 싫은
pleasurable 즐거운
pleasing 유쾌한, 즐거운, 붙임성 있는

0330 □□□ 언·틸

until ~(때)까지, ~하도록, ~되어 비로소

until now 지금까지, 이때까지
not until ~하고 나서야, ~되어야 ~하는

0331 □□□ 컴퓨터-

computer 컴퓨터, 계산원

PC 개인용 컴퓨터 (Personal Computer)
compute 계산하다, 산출하다

0332 □□□ ·푸어

poor 가난한, 부족한, 불쌍한

the poor 가난한 사람들
poorly 가난하게, 서툴게
be poor at ~에 서투르다

0333 □□□ 뤼·시'ㅂ

receive 받다, 경험하다, 접수하다

recipient 수령인, 받아들이는
receipt 영수증, 증서
receiving 받는, 수신의
receptor 수용체, 수신기
receiver 수화기, 수신기[자]
reception 환영(회), 접수(처), 평판
receptive 잘 받아들이는, 수용하는

0334 □□□ 슬맆

sleep 잠을 자다, 수면 < sleep - slept - slept >

sleeping 수면(중의), 활동하지 않는
asleep 잠들어, 자고 있는
sleepiness 졸림, 졸음
sleepy 졸리는, 조용한

0335 □□□ ·카-

car 자동차

used-car 중고차

0336 □□□ 어·너'프

enough 충분한, 충분히, "이제 됐어!"

enough to do ~하기에 충분한[충분히 ~한]
enough for ~에 충분한
enough is enough "이제 그만해"
good-enough 적합한, 만족스러운

0337 □□□ ·월ㅋ

walk 걷다, 걸어가다

walking 걷는, 보행
jaywalk 무단 횡단하다
walk on air 날듯이 기쁘다
walk out 중단하다, 떠나다, 파업하다
walker 걷는 사람, 보행자

0338 □□□ ·베이ㅅ

base 기반, 기초, 위치하다, 근거

base on ~에 근거를 두다
basis 기초, 근거, 주성분
baseball 야구
basement 지하실, 최하부
on the basis of ~에 근거[기초]하여
baseline 출발선, 기준선
land-based 지상의, 육지에 사는
지역-based (지역)에 기반한

0339 □□□ 페어·뤈ㅌ

parent 부모

parental 부모의
grandparent 조부모
great-grandparent 증조부모
parenthood 부모 역할, 부모 자식 관계

0340 □□□ ·심플리

simply 간단히

simple 간단한, 쉬운, 소박한, 단일(의)

simplicity 간단함, 소박함, 단순함

simplify 단순화 하다, 간소화하다

simply to do 단순히 ~하다

0341 □□□ 어·웨이

away 떨어져, 떠나, 저리로, 사라져

faraway 멀리 떨어진, 먼

getaway 도주, 휴가

0342 □□□ 히어

hear 듣다 < hear - heard - heard >

hearing 청력, 듣기

0343 □□□ ·네임

name 이름(을 붙이다), 지명하다, 이름을 부르다

naming 명명하는, ~에 이름을 붙이는

nickname 별명(을 붙이다), 애칭

namely 즉, ~와 같은, 말하자면

rename 개명하다

name for ~의 이름을 따서 붙이다

nameless 이름 없는, 익명의, 무명의, 형언할 수 없는

namelessness 무명

unnameable 이름을 붙일 수 없는, 형언할 수 없는

unnamed 이름이 없는, 무명의

0344 □□□ ·오거너·제이션

organization 조직(화), 단체, 기구, 기관

organize 조직하다, 구성하다, 계획하다

organism 생물, 유기체

organic 유기농의, 신체 장기의, 조직적인

organ 장기, 기관, 오르간 *악기

organized 조직된, 계획된, 유기적인, 정돈된

organizer 조직자, 주최자

reorganization 재편성, 개편

well-organized 정리가 잘 된

0345 □□□ 뤼듀ㅅ

reduce 줄(이)다, 낮추다

reduction 축소, 감소

0346 □□□ 이·'벤ㅌ

event 사건, 행사, 시합

eventually 결국, 마침내

eventual 최후의, 결과로 일어나는

in the event of 만일 ~의 경우에는

0347 □□□ 풑

foot 발, 걸음

feet 피트 *길이의 단위 약 30cm, 발, 걸음

football (미식)축구

footwear 신발(류)

footstep 발소리, 발자국

footprint 발자국

0348 □□□ ·'피지클

physical 육체의, 물질적인, 물리학의

physically 육체적으로, 물리(학)적으로

physician 내과의사

physics 물리학

physiological 생리학의, 생리적인

physiology 생리학

PE class 체육 수업 (Physical Education class)

physicality 신체 능력, 신체적 특징

physicist 물리학자

physiologist 생리학자

0349 □□□ ·써'퍼-

suffer 고통 받다[겪다], 참다, 겪다

suffer from ~로 앓다, ~을 당하다, ~로 괴로워하다

sufferer 환자

0350 □□□ 써·풔ㅌ

support 지지하다, 유지하다

supporting 받치는, 지지하는, 원조하는

supporter 지지자, 후원자

supportive 지원하는, 지탱하는, 보조적인

0351 □□□ ·센터-

center 중심, 중심지, 중앙

central 중심의, 중심적인

centered 중심에 있는, 집중한

centre 중심, 중심지, 중앙 *center의 영국식 표기

centralize 중앙화하다, 집중시키다

centrally 중심적으로

0352 □□□ ·임·프루-'ㅂ

improve 개선하다(되다), 향상하다(시키다)

improvement 개선, 향상

0353 □□□ ·플랜

plan 계획(하다)

plan to do ~할 예정이다

master plan 기본 설계, 종합 계획

unplanned 계획되지 않은, 무의식의, 충동적으로

planner 기획자, 일정 계획표[책]

0354 □□□ ·데θ

death 죽음

dead 죽은, 생명을 잃은

deadline 기한, 마감 시간

deadly 치명적인

deadliest 가장 치명적인

Black Death 흑사병 *치사율이 높은 전염병

deadlock 교착 상태

0355 □□□ ·플랜ㅌ

plant 식물, 공장, 심다

implant 이식하다, 심다

plantation 대규모 농장, 조성 숲, 식민지

transplant 이식(하다)

planter 농장주, 재배자, 파종기

0356 □□□ 리·쎈ㅌ

recent 최근의

recently 요즘, 최근에

0357 □□□ ·에너-쥐-

energy 에너지, 힘, 활동력

energetic 활기찬, 원기 왕성한

energetically 정력적으로, 활발히

energize 전원을 켜다, 격려하다, 활력을 주다

0358 □□□ ·스트뤙

strong 힘센, 강한, 튼튼한, 단단한

strongly 튼튼하게, 강하게

stronghold 요새

0359 □□□ ·카먼

common 흔한, 공공의, 공통의

commonly 흔히, 일반적으로, 주로

commonplace 아주 흔한, 흔한 것

in common 공동으로

uncommon 드문, 희한한, 비상한

commonwealth 연방, 공화국, 영국연방(the Commonwealth)

commons 평민, 서민

common sense 상식, 양식, 분별

0360 □□□ ·라인

line 선, 줄

underline 강조하다, 밑줄(을 치다)

outline 윤곽(을 그리다), 요약, 약도

in line with ~와 나란히

linear (직)선의, 선으로 된

0361 □□□ ·트래블

travel 여행하다, 이동하다

traveler 여행자, 승객

traverse 가로지르다, 횡단(하다), 방해하다

traveller 여행자

0362 □□□ 워

war 전쟁(의), 분쟁

warrior 전사

warfare 전쟁, 투쟁

0363 □□□ ·케이ㅅ

case 경우, 사건, 소송, 사례, 상자

in case ~할 경우에, ~할 경우를 대비해

in the case of ~의 경우에는

encase (상자에) 넣다

lowercase 소문자의

uppercase 대문자의

0364 □□□ 컨·티뉴

continue 계속하다

continuously 연달아서

continuing 계속하는, 연속적인

continued 지속적인

continuous 연속적인

discontinue 그만두다, 중지하다

0365 □□□ ·'파이어-

fire 불, 사격하다, 해고하다

fired 해고된

firefight 총격전

fireplace 벽난로

backfire 역효과를 내다, 맞불을 놓다

fiery 불의, 화염의

fire-engine 소방차

firefighter 소방관

be fired from ~에서 해고되다

fireman 소방관

firewood 장작, 땔감

firework 불꽃(놀이)

0366 **level** 정도, 수준
·레'블
leveling 평등화, 평평하게 함

0367 **appear** 나타나다, ~인 것 같다
어·피어
disappear 사라지다, 소멸하다
appearance 모습, 외모, 나타남
reappear 다시 나타나다, 재현하다

0368 **exist** 존재하다, 있다
익·지스ㅌ
existence 존재, 실재
existing 현존하는, 현재의
nonexistent 존재하지 않는
coexist 공존하다

0369 **nearly** 가까이, 거의
·니얼리
near 근처에, 가까이(에), 거의
nearby 근처의, 가까운, 바로 옆에
neat 산뜻한, 단정한

0370 **positive** 긍정적인, 적극적인, 확신하는, 양성의
·파저티'ㅂ
negative 부정(적인), 결점의, 거부(하는), 음성의
negatively 부정적으로
positively 명확하게, 긍정적으로

0371 **smoke** 흡연, (담배)피우다, 연기, 훈제하다
스모욱
smoking 흡연(하는), 그을림
smoker 흡연자
smoke-free 금연의
smog 초미세먼지, 스모그
anti-smoking 흡연에 반대하는
non-smoker 비흡연자

0372 **earth** 땅, 지구
·어-θ
down-to-earth 현실적인
underneath 아래에[의], 낮은

0373 **rule** 규칙, 지배(하다), 법칙
·룰
ruler 통치자, 지배자, (측정용) 자
rule out 배제하다
as a rule 대체로, 일반적으로
majority rule 다수결 원칙
rulebook 규칙서

0374 □□□ ·싸운ㄷ

sound 소리(들리다), 건전한, 해협, 재다

sound like ~처럼 들리다, ~일 것 같다
sound wave 음파
soundproof 방음의, 방음 장치된
soundtrack 영화 음악, 녹음 부분

0375 □□□ ·스트뤠ㅅ

stress 긴장, 압박감, 강조

stressful 긴장이 많은
stressor 스트레스 요인
stress-free 스트레스 없는

0376 □□□ 브륑

bring 가져오다, 데려오다, 일으키다 < bring - brought - brought >

bring out ~을 발휘되게 하다, 갖고 나가다
bring about 야기시키다
bring back 기억나게 하다, 상기시키다
bring in 도입하다, 들여오다
bring on 일으키다
bring up 기르다, 양육하다
upbringing 교육, 양육, 성장

0377 □□□ 디·뤡션

direction 방향, 방위, 지시, 지도

direct 직접적인[으로], 감독하다, 지휘하다
directly 곧장, 직접적으로
director 지도자, 관리직
directional 지향성의, 방향의
indirect 간접적인, 우회하는
directive 지시하는, 지배적인
indirectly 간접적으로, 부차적으로

0378 □□□ 프러·텍ㅌ

protect 보호하다

protection 보호, 방지
protective 보호하는, 보호용의
unprotected 무방비의

0379 □□□ 순

soon 곧, 빨리

as soon as ~하자마자
sooner than ~보다는 차라리
soon after 곧, 얼마 후
soon(er) or late(r) 조만간, 곧
no sooner ~ than 하자마자

0380 □□□ ·스탚

stop 중단(하다), 끝내다, 정지(하다)

stop doing ~하는 것을 멈추다
nonstop 쉬지 않고, 연속적인, 직행의
stop by[over, off] 잠시 들르다
stop to do ~하려 멈추다
stopper 마개, 방해물[자]
bus stop 버스 정류장
one-stop 한 곳에서 다 되는

0381 □□□ ·크롸임

crime (범)죄

criminal 범죄자, 범법적인

0382 □□□ 닭터-

Doctor 의사, 박사

Dr. doctor의 단축, 의사

doctrine 교리, 원칙

0383 □□□ ·아이

eye 눈

eyeball 눈알

eyelid 눈꺼풀

eyebrow 눈썹

eyesight 시력, 시야

one-eyed 외눈의, 편협한

see eye to eye 의견이 일치하다

lazy eye 약시

rib eye [고기] 꽃등심

0384 □□□ ·인더스트뤼

industry 산업, 공업, 제조(업)

industrial 산업의, 공업(용)의

industrialist 제조업자, 기업가

industrialized 산업화된

industrialization 산업화

industrialize 산업화하다

industrious 근면한, 부지런한

tech-industry 기술 산업

0385 □□□ 뤼·포어ㅌ

report 보고하다, 보고(서), 보도하다

reporter 기자, 보고자

reporting 보도, 보고

reportedly 보도에 따르면, 전해지는 바로는

0386 □□□ 써·재스ㅌ

suggest 제안하다, 암시하다

suggestion 제의, 암시

suggestive 암시적인, 선정적인, ~을 연상시키는 (of)

0387 □□□ 얼라우

allow 허락하다, 인정하다, 주다

allow for ~를 감안하다

allowance 용돈, 수당, 허용

disallow 금지하다

0388 □□□ 잌·스플레인

explain 설명하다, 해명하다

explanation 설명, 해석

explanatory 설명적인, 해석상의

explicate 설명하다, 해석하다

0389 □□□ 히어

here 여기에, 여기로, 이 점에서

from here 여기서부터

about here 이 근처에

0390 □□□ ·쑈-ㅌ

short 짧은, 단기간의

shortage 부족, 결핍

shorter 더 짧은, 더 작은, 더 부족한

shorts 반바지

shortcoming 결점, 단점

shorten 단축하다, 줄이다, 짧아지다, 감소하다

in short 한마디로 말해서

shortcut 지름길

shortfall 부족(분), 부족액

shortly 곧, 얼마 안 있어, 간단히

0391 □□□ ·언더

under ~의 아래에[의], 미만인, ~의 영향[지배]을 받는

undergo 겪다, 경험하다, 견디다
< undergo - underwent - undergone >

underlie ~의 아래에 있다, ~의 기초가 되다

undergoer 경험자

0392 □□□ 어·그뤼

agree 동의하다, 일치하다

agreement 동의, 일치, 협정, 계약

agree on/to ~에 동의[합의]하다

agree with ~에 동의하다

disagree 동의하지 않다, 일치하지 않다

0393 □□□ ·에뤼어

area 지역, 범위, 면적, 분야

0394 □□□ ·딜

deal 거래, 계약 < deal - dealt - dealt >

deal with ~을 다루다, ~와 거래하다

dealing 거래, 교제, 분배, 일격(을 가하는)

dealer 거래업자, 중개인, 도박사

deal at ~와 거래하다, ~를 단골로 삼다

0395 □□□ ·재네럴

general 일반적인, 대체적인, 장군

generally 일반적으로, 대개는, 전체적으로

in general 일반적으로

generalization 일반화, 보편화, 종합

generality 일반(성), 대부분, 일반론

generalize 일반화하다, 종합하다, 법칙화하다

generalized 일반화된

0396 □□□ ·넥스ㅌ

next 다음에[의], 옆에

next to ~바로 옆에, ~과 나란히

0397 □□□ ·베네·'핕

benefit 이익(이 되다), 혜택

beneficial 유익한, 이로운

beneficiary 수혜자

beneficially 유익하게

benefactor 후원자

beneficent 선행을 행하는, 유익한, 인정 많은

0398 □□□ ·게임

game 게임, 오락, 시합

chess game 체스 게임

dice game 주사위 게임

endgame 마지막 단계

0399 □□□ ·매터-

matter 문제(가 되다), 중요하다, 사건, 물질

doesn't[don't] matter 문제되지 않다, 상관없다

0400 □□□ 마·ᗞ어

mother 어머니

mom 엄마

grandmother 할머니

mommy 엄마

motherhood 모성(애)

stepmother 양어머니

mama 엄마

0401 □□□ ·퐈퓰러-

popular 인기 있는, 대중적인

popularity 인기, 대중성, 유행

pop 가요, 대중의, 불쑥(튀어나오다)

unpopular 인기 없는, 유행하지 않는, 평판이 나쁜

0402 □□□ ·윈

win 이기다, 획득하다 < win - won - won >

winner 승리자, 우승자

winning 획득, 승리, 이긴, 성공

0403 □□□ 익·스펙ㅌ

expect 예상하다, 기대하다

expect to do ~할 셈이다, ~하기를 기대하다

expectation 기대, 예상

unexpected 예기치 않은

expectancy 기대, 예상

unexpectedly 예상외로, 갑자기

0404 □□□ ·메이져-

major 주요의, 다수의, 전공의

majority 대다수(의), 다수당, 과반수

0405 □□□ ·네서·세뤼

necessary 필요한, 필수적인

necessarily 반드시, 필연적으로

unnecessary 불필요한, 쓸데없는

necessity 필요(성), 필수품

0406 □□□ 아퍼뤠잍

operate 운영하다, 작동하다, 작용하다, 수술하다

operation 운영, 수술, 작전, 작동

cooperation 협력

cooperative 협력적인, 협동의

cooperate 협력하다

operator 사업자, 운영자, 관계자

0407 □□□ 퍼-·티큘러-

particular 특별한, 개개의, 상세(한)

particularly 특별히

in particular 특히, 특별히

0408 □□□ ·'풔ㅅ

force 힘, 물리력, 강요하다

forceful 강한, 강제적인

0409 □□□ ·아'퍼-

offer 제안(하다), 제공(하다)

0410 □□□ ·'뷰

view 관점, 전망, (바라)보다, 간주하다

viewer 보는 사람, 구경꾼

viewpoint 견해, 관점, 보이는 지점

overview 개요, 전체상

0411 □□□ 퓐
phone 전화기
telephone 전화기, 전화를 걸다
smartphone 스마트폰
cellphone 휴대전화
headphone 헤드폰
microphone 마이크

0412 □□□ ·디·지ㅈ
disease 질병
heart disease 심장병

0413 □□□ ·퐈퓰·레이션
population 인구
populate 거주시키다, 살다

0414 □□□ ·프롸퍼티
property 재산, 특성, 소유(물)
proper 알맞은, 적절한
properly 제대로, 적절히
improper 부당한, 부도덕한

0415 □□□ ·액츄얼리
actually 실제로, 사실은
actual 실제의, 현실의, 현재의, 행위의

0416 □□□ ·캄퍼·티션
competition 경쟁, 시합, 대회
compete 경쟁하다, 필적하다
competitive 경쟁의, 경쟁적인, 경쟁력 하는
competitor 경쟁자, 경쟁상대
competitively 경쟁적으로

0417 □□□ 파·ᎠᎥ어
father 아버지
paternal 아버지의
grandfather 할아버지
fatherhood 아버지의 자격
forefather 조상, 선조
grandpa 할아버지
godfather 대부 *종교적인 후견인

0418 □□□ ·랙
lack 결핍, 부족(하다), ~이 없다
lack of ~부족

0419 □□□ ·마던
modern 현대적인, 최신의, 근대의
modernization 현대화, 근대화
modernized 현대화된

0420 □□□ ·프뤠셔
pressure 압력(을 가하다), 압박, 누르기

press	언론, 보도, 누르다
compress	압축하다, 꾹 누르다
suppress	억압하다, 억제하다, 진압하다, 감추다
oppression	압박, 억제
oppress	탄압하다, 억압하다

0421 □□□ 어·겐스ㅌ
against ~에 반대하여, ~와 대조적으로

as against	~과 대조적으로
go against	~에 반대하다

0422 □□□ 호우ㅍ
hope 희망(하다)

hoping	바라는
hopeful	희망찬, 유망한
hopeless	절망적인, 희망이 없는, 구제불능의
hopefully	바라건대, 잘만 되면
hopelessly	절망적으로

0423 □□□ ·햎이
happy 행복한

happiness	행복, 행운
happily	행복하게, 유쾌히
unhappy	불행한, 불만족한, 기분이 나쁜
unhappiness	불행, 비참

0424 □□□ ·세컨ㄷ
second 두번째(의), 둘째로, 순간, 초

secondary	둘째의, 2차적인, 2류의
secondly	둘째로, 다음으로
millisecond	0.01초
2nd	두 번째(의), 둘째로 *second의 줄임

0425 □□□ ·어·멍
among ~의 사이에, ~에 둘러싸여

amongst	~속에, ~사이에서

0426 □□□ 어·마운ㅌ
amount 양, 총계(가 ~가 되다), 총액

amount to	~에 이르다

0427 □□□ ·크뤼티클
critical 비판적인, 중대한, 결정적인, 위태로운

criticize 비판[비난, 비평]하다
criticism 비판, 비난
critic 비평가, 평론가
criticially 비판적으로
criticise (=criticize) 비판[비난, 비평]하다

0428 □□□ ·글로우블
global 세계적인, 구체의

global warming 지구 온난화
globe 지구(본), 구체
globalize 세계화하다[되다]
glob 방울, 덩어리

0429 □□□ 싸이ㄷ
side 한 쪽, 측면(의), 옆의

outside 밖의[에], 외부(로부터)
inside 내부, ~안에
besides ~외에, 게다가
aside 따로 두고, 곁에, 옆에
sidewalk 보도, 인도
beside ~의 곁에(서), ~에 비해서, ~와 떨어져서
aside from ~외에는, ~을 제외하고
one-sided 한쪽으로 치우친, 일방적인

0430 □□□ ·드륑ㅋ
drink 마시다, 음료 < drink - drank - drunk >

drinking 음주(를 즐기는), 마시기(알맞은)
drunken 술 취한

0431 □□□ 퍼·지션
position 위치, 장소, 자세, 입장

pose 자세(를 취하다), ~인 체하다, 지니다, 제기하다

0432 □□□ ·웨·어
wear 입다, 휴대하고 있다, 닳게 하다, 지치게 하다 < wear - wore - worn >

wear out 마모(되다), 닳다
worn 낡은, 지친, 닳은
wearable 착용할 수 있는, 착용감이 좋은
wearer 착용자

0433 □□□ 컨·쑤머-
consumer 소비자

consumption 소비(량), 소모(량)
consume 소비하다, 섭취하다

0434 □□□ 익·스프뤠스
express 나타내다, 표현하다, 급행(의), 명백한, 생각을 말하다
expression 표현, 표정

0435 □□□ ·아우어
hour 1시간, 시각, 정시(the hour)
per-hour 시간당
half-hour 30분
hour hand (시계의) 시침
hour-long 1시간 계속되는

0436 □□□ ·인·'발'ㅂ
involve 포함하다, 관련시키다, 참여하다
involvement 관계, 연루, 개입
involve in ~에 관여하게 하다
involved 관련된, 열중한, 복잡한

0437 □□□ ·킬
kill 죽이다
killer 살인자

0438 □□□ ·랜ㄷ
land 육지, 착륙하다
landscape 경관, 풍경, 지형
landmark 랜드마크 *유명한 건축물이나 지형
landfill 쓰레기 매립지
landing 착륙
landlord 지주, 집주인
landowner 토지 소유자, 지주

0439 □□□ 뮤직
music 음악
musical 뮤지컬(공연), 음악의, 곡의
musician 음악가, 가수
musically 음악적으로

0440 □□□ ·원ㅅ
once 한 번, 한때, ~하자마자
at once 동시에, 즉시, 한꺼번에
once again 다시 한 번, 또 다시
all at once 동시에, 갑자기
once upon a time 옛날 옛적에

0441 □□□ ·웨이ㅌ
wait 기다리다, 기다림
await 기다리다
waiter 웨이터, 기다리는 사람
wait on ~에서 기다리다, ~을 기다리다, 모시다
waitress 웨이트리스

0442 □□□ 어·텐션
attention 주의, 주목, 배려

pay attention to ~에 주목[주의]하다
attentive 주의 깊은, 예의 바른
inattention 부주의, 무심

0443 □□□ 업·저-'ㅂ
observe 관찰하다, 보다, 지키다

observation 관찰, 감시
observer 관찰자, 감시자
observable 관찰할 수 있는, 식별 가능한, 지켜야 할
observatory 관측소, 천문대, 기상대

0444 □□□ 룸
room 방

roommate 룸메이트, 동거인

0445 □□□ 쎄이ㅍ
safe 안전한, 금고

safety 안전
safely 안전하게, 무사히
unsafe 위험한, 불안한

0446 □□□ 샾
shop 가게, 쇼핑하다

shopping 물건 구입(하는), 장보기
shopper 쇼핑객, 구매자
shoplift 상점에서 도둑질하다

0447 □□□ 썹·직ㅌ (명) 썹·잭ㅌ (형)
subject 주제, 제목, 문제, 과목, 학과, 영향 받는

subjective 주관적인, 개인적인, 본질적인
subject to ~당하게 하다, ~을 조건으로
be subject to ~의 대상이다, 지배를 받다
subjection 정복, 복종

0448 □□□ 썬
sun 태양

sunny 화창한, 햇볕이 잘 드는, 태양의
sunlight 햇빛, 일광
sunset 일몰, 저녁 노을, 말기
sunrise 일출, 아침 노을, 초기
sunglasses 선글라스
sunbrowned 햇빛에 그을린
sunlit 볕이 드는, 밝은, 빛나는
sunshine 햇빛, 쾌활

0449 □□□ ·와이ㄷ

wide 넓은, 넓게, 충분히

widely 넓게, 크게, 광범위하게

width 폭, 너비

widened 넓힌, 넓어진

0450 □□□ 쎌

sell 팔(리)다, 판매하다 < sell - sold - sold >

seller 판매자, 팔리는 물건

sold 팔린

sold out 품절된, 매진된

resell 되팔다, 전매하다

sell out 품절되다, 매진되다

0451 □□□ ·예ㅅ

yes "네"

yeah "응", "좋아"

0452 □□□ 컨·디션

condition 조건, 상태, 상황, 환경

conditioner 조절 장치

0453 □□□ ·인터넽

internet 인터넷

network 통신망, 네트워크, 관계

net 그물, 최종적인, 망사, 순~ *net profit 순이익

0454 □□□ 나이ㅌ

night 밤(의), 어두움

midnight 자정

overnight 하룻밤 사이의, 밤새(도록), 일박(의), 하루 기한의

all-night 밤새 여는, 밤새 계속되는

nightfall 해질녘, 황혼

nightly 밤마다(의)

nightmare 악몽, 끔찍한

0455 □□□ ·스페이ㅅ

space 공간, 우주, 장소

spacecraft 우주선

spatial 공간의, 공간적인

spacious 넓은, 광활한

0456 □□□ ·트륕먼트

treatment 치료, 취급, 대우

treat 치료하다, 다루다, 대하다

mistreat 학대하다, 혹사하다

0457 □□□ ·워뤼

worry 걱정(하다), 걱정시키다, 불안

worried 걱정스러운, 곤란한

worrying 걱정되는, 곤란한

worrisome 꺼림칙한, 걱정되는

0458 □□□ ·카스ㅌ

cost 가격, 값, 비용(이 들다) < cost - cost - cost >

costly 값비싼, 희생이 큰

cost-cutting 비용 절감

at all cost(s) 무슨 수를 써서라도

cost-saving 비용 절감

low-cost 저렴한

at cost 원가에

at no cost 무료로

0459 □□□ 디·자인

design 도안, 디자인(하다), 설계(하다)

designer 설계자, 디자이너

well-designed 잘 설계된

0460 □□□ 아이·덴티'파이

identify 확인하다, 식별하다, 동일시하다

identity 신원, 신분, 정체, 유사성

identical 동일한

identification 신분확인, 신분증, 식별

ID 신분증(identification)

identically 동일하게

unidentified 불확실한, 미확인의

0461 □□□ ·미디어

media 대중 매체, 매개물

social media SNS, 소셜 미디어

medium 중간의, 수단

news media 보도 매체

mass media 대중 매체

communication media 통신 매체

multimedia 다중매체 *문자, 그림, 영상, 소리 등을 동시에 표현

0462 □□□ ·셰어

share 공유(하다), 분배하다, 몫, 지분

shareholder 주주

0463 □□□ ·와취

watch (지켜)보다, 감시하다, 손목시계

watch out "조심해", 조심하다

watcher (업계, 분야) 전문가, 감시자

watchful 주의 깊은

0464 □□□ ·블랭ㅋ
blank 비어있는, 공허한

0465 □□□ ·케릭터-
character 성격, 특성, 등장인물
characteristic 특징, 특징적인, 독특한
characterized 특징지어진, 구분되는
characteristically 독특하게, 특징으로서
well-characterized 잘 구분되는

0466 □□□ 이·모우션
emotion 감정, 감동
emotional 감정적인
emotionally 감정적으로
unemotional 감정적이 아닌, 냉정한

0467 □□□ 컴·페어
compare 비교하다
comparison 비교, 유사성, 비유
comparing 비교(하는)
comparable ~와 비교되는, 유사한, 비슷한
comparative 비교의
comparatively 비교적

0468 □□□ ·인·줘이
enjoy 즐기다
joy 기쁨, 즐거움
enjoyment 즐거움, 기쁨
rejoice 기쁘다, 기쁘게 하다
enjoyable 즐거운, 재미있는
joyful 기쁜, 즐거운
joyously 기쁘게, 기꺼이

0469 □□□ 노·θ
north 북쪽(의)
northern 북부의
northeastern 북동부의, 미국 북동부 지방(Northeastern)
northwest 북서부
northeast 북동쪽
northwestern 북서부의, 미국 북서부 지방(Northwestern)

0470 □□□ ·뤼스ㅋ
risk 위험(을 감수하다), 위태롭게 하다
risk of ~ ~위험
risky 위험한, 모험적인
take a[the] risk (of) 위험을 감수하다

0471 □□□ ·스탠ㄷ

stand 서다, ~에 있다, 견디다, 연단 < stand - stood - stood >

standing 서 있는, 서서 하는, 입장, 영구적인
stand by ~을 지지하다, 가만히 있다, 대기(standby)
stand in 대신하다, ~에 있다
outstanding 눈에 띄는, 뛰어난, 돌출한
stand out 두드러지다
withstand 저항하다, 견디다 < withstand - withstood - withstood >
stand up for 옹호하다
stand doing ~하는 것을 참다
stand done (~는 입장에) 있다
stand for ~을 의미하다, ~을 지지하다 ~에 출마하다
stand up 일어서다, 선채로 하는

0472 □□□ ·어고우

ago ~전에, 이전에

(a) long time ago 오래 전에
a decade ago 10년 전

0473 □□□ ·바이어·라지클

biological 생물학의, 생물학적인

biology 생물학
biologist 생물학자
antibiotic 항생 물질, 항생제의
biotechnology (=biotech) 생명 공학
biologically 생물학적으로
biorhythm 생체 리듬
symbiotic 공생하는

0474 □□□ 멤버

member 일원, 구성원

membership 회원(비), 회원자격
board member 위원

0475 □□□ 뤠인

rain 비(내리다)

rainforest (열대)우림
rainfall 강우(량), 비
rainy 비가 오는, 비의
raindrop 빗방울
rainbow 무지개
raincoat 비옷
rainstorm 폭풍우

0476 □□□ 텔레'비젼

television 텔레비전

telescope 망원경

0477 □□□ ·디·스커버-

discover 발견하다, 알아내다

discovery 발견, 폭로
discoverer 발견자, 창안자
undiscovered 발견되지 않은, 미지의

0478 □□□ 퓨처

future 미래(의)

in future 앞으로는

0479 □□□ ·인'플루언ㅅ

influence 영향(을 미치다), 효과

influential 영향력 있는, 유력한

influence over ~에 영향을 끼치다

0480 □□□ ·러'ㅂ

love 사랑(하다), 아주 좋아하는

lovely 사랑스러운, 아름다운

lover 연인, 애인, 애호가

beloved 가장 사랑하는, 귀여운

0481 □□□ ·압잭ㅌ

object 물건, 목표, 반대하다, 항의하다

objective 목표, 목적, 객관적인

object to ~에 반대하다

objection 반대, 이의

objectively 객관적으로

0482 □□□ ·롤

role 역할, 임무

role as ~로의 역할, ~로의 임무

0483 □□□ ·씨뤄어ㅅ

serious 심각한, 진지한, 중대한

seriously 심각하게, 진지하게

0484 □□□ ·씨밀러-

similar 비슷한, 닮은

similarly 유사하게, 비슷하게

similarity 유사(성), 닮음

dissimilar 같지 않은, 다른

0485 □□□ ·아-규

argue 언쟁하다, 주장하다, 논하다, 다투다

argument 논쟁, 말다툼, 토론

argumentative 논쟁적인, 논쟁을 좋아하는

0486 □□□ ·칸서퀀ㅅ

consequence 결과, 중요성

consequently 따라서, 결과적으로

sequence 연속(적인 사건), 순서, 배열

consequential 결과의

0487 □□□ ·데인져-어ㅅ
dangerous 위험한, 위태로운
danger 위험
endangered 위험에 처한, 멸종 위기에 처한
dangerously 위험하게, 위태롭게
endanger 위험하게 하다, 위협하다

0488 □□□ 뤼·메인
remain 남다, 머무르다
remainder 나머지, 잉여

0489 □□□ 뤼·스퐌ㅅ
response 대답, 응답, 반응
respond 대답하다, 응답하다
in response to ~에 응하여, ~에 답변하여
respond to 응답하다
responsive 대답하는, 반응하는

0490 □□□ 엠·플러이어-
employer 고용주
unemployment 실직(률), 실직자수
employ 고용하다, 이용하다
employment 고용
unemployed 실직한, 무직의
employee 직원, 피고용인

0491 □□□ ·리밑
limit 한계, 제한(하다), 경계
limitation 제한, 한계
unlimited 제한 없는, 끝없는
limitless 제한 없는, 방대한

0492 □□□ ·매네즤
manage 관리하다, 경영하다, 잘 해내다, 다루다
management 관리, 경영, 감독
manager 관리자, 경영자

0493 □□□ ·쎄버럴
several 몇몇의, 따로따로의

0494 □□□ ·디·스파잍
despite ~에도 불구하고
in spite of ~에도 불구하고
spite 악의, 심술, 괴롭히다
despise 경멸하다
(in) despite of ~에도 불구하고, ~을 무시하고
spiteful 악의적인

0495 □□□ ·프루-'ㅂ

prove 증명하다, 입증하다

proven 증명된, 입증된

proof 증거, 증명, (~을) 견디는

0496 □□□ ·씨

sea 바다(의)

overseas 해외의, 해외로, 해외에서, 국제적인

seasickness 뱃멀미

seaside 해안(의), 해변(의)

seagull 갈매기

undersea 바닷속에

0497 □□□ 싸우·θ

south 남쪽(의), 남쪽으로

southern 남부의, 남쪽의

southeast 남동부, 미국 남동부 지역(Southeast)

southwest 남서부(의), 남서쪽에서(로 부터)

southeastern 남동부의, 미국 남동부 지방(Southeastern)

0498 □□□ 써'바이'ㅂ

survive 살아남다, 생존하다, 견디다

survival 생존, 잔존

survivor 생존자

0499 □□□ 커·뤡ㅌ

correct 정정[수정]하다, 정확한, 옳은

correctly 바르게, 정확하게

incorrect 부정확한, 틀린

0500 □□□ 할·ㅌ

heart 심장, 마음, 애정

heartache 심적 고통

heartbreak 비통

0501 □□□ 먼·θ

month 달, 월

monthly 매달의, 한 달에 한 번의

January 1월

February 2월

March 3월

April 4월

May 5월

June 6월

July 7월

August 8월

September 9월

October 10월

November 11월

December 12월

0502 □□□ ·뤼치

reach ~에 이르다, 내뻗다, 길이, 범위

reach for 손을 뻗다

0503 ☐☐☐ ·싸인
sign 계약하다, 서명하다, 징조, 신호, 표시

signal 신호(의), 나타내다, 징조
sign up 등록하다, 가입하다
signature 서명

0504 ☐☐☐ ·웨스터-언
western 서양의, 서쪽의

west 서쪽(의), 서쪽으로
Midwest 미국 중서부 지방
westerner 서쪽 사람, 서양인

0505 ☐☐☐ ·인·텔러젼ㅅ
intelligence 지능, 지성, 정보, 이해력

intellectual 지적인, 지식인(intellectuals)
intelligent 이해력이 있는, 지적인, 이성적인
IQ 지능지수 (Intelligence Quotient)
intellect 지적 능력

0506 ☐☐☐ 패스ㅌ
past 과거(의), 지난, 넘어서

0507 ☐☐☐ 퍼-'풔먼ㅅ
performance 실행, 성과, 연기, 공연

perform 실행하다, 수행하다, 공연하다, 연주하다
performer 실행자, 수행자, 연주자, 연기자

0508 ☐☐☐ ·프랙·티ㅅ
practice 연습(하다), 실행(하다), 습관

practical 실용적인, 실제의
practiced 숙련된, 능숙한
practically 사실상, 실질적으로

0509 ☐☐☐ ·프라이'베이ㅌ
private 개인적인, 사적인, 은밀한, 사립의, 사병

privacy 사생활, 비밀, 은둔
in private 은밀히
privately 개인적으로, 은밀히

0510 ☐☐☐ ·유니'붜스티
university 대학교

0511 ☐☐☐ ·'포우커ㅅ
focus 초점, 집중하다

focus on ~에 초점을 두다, ~에 주력하다

0512 ☐☐☐ ·프롸붜블리
probably 아마도

probable 있음 직한, 그럴듯한

0513 □□□ ·스토뤼

story 이야기, 소설, 기사

storyteller 이야기꾼, 소설가
숫자-story building (숫자)층 건물
storybook 이야기책
storyline 줄거리
storytelling 이야기 하기(하는)

0514 □□□ 잌·스텐ㄷ

extend 뻗다, 연장하다, 넓히다

extent 범위, 정도, 넓이
extensive 광대한, 포괄적인
extended 펼친, 넓은, 연장한
extension 연장, 확대, 확장

0515 □□□ 머·티뤼얼

material 재료, 물질(적인), 자료

materialistic 물질(만능)주의적인
materially 실질적으로, 물질적으로

0516 □□□ 뤼·가-ㄷ

regard ~로 여기다, 관계, 고려, 존경(하다)

regardless of ~와 관계없이
regarding ~에 관해서
with regard to ~에 관해서는
disregard 무시(하다), 경시(하다)
as regards ~와 관련하여
regardless 관계없이, 부주의한

0517 □□□ ·텐ㄷ

tend ~하는 경향이 있다, 하기 쉽다, 돌보다

tendency 경향, 추세
tendency to do ~하는 경향
tend to do ~하는 경향이 있다

0518 □□□ ·원더

wonder 이상하게 여기다, 의문이다, 놀라다, 경이(로운)

wonderful 훌륭한, 경이적인
wondering 이상히 여기는, 경이로운
wondrous 놀랄만한

0519 □□□ ·어게인

again 다시, 한번 더

once again 다시 한 번, 또 다시

0520 □□□ 어·템프ㅌ

attempt 시도하다, 시도

attempt to do ~하려 시도하다

0521 □□□ ·이퀄

equal 평등한, 동등한, 같은

equally 평등하게, 균등하게
equate 동일시하다
equality 평등, 균등
be equal to ~와 동일하다
unequal 불공평한, 같지 않은
equation 방정식, 평형(상태)
equator 적도
unequally 불평등하게, 같지 않게
equity 공평

0522 □□□ ·이슈

issue 발행(하다), 주제, 문제

0523 □□□ 미들

middle 중앙(의)

midnight 자정
middle-class 중산 계급의
mid 중앙의, 중앙에, ~중의, 중간에
midst 한가운데, ~중의
amid ~의 한복판에
midline 중심선, 정중선
midland 중부 지방, 내륙부
amidst ~의 한복판에

0524 □□□ ·θ이어뤼

theory 이론, 학설

theoretical 이론의, 이론적인
theoretically 이론상, 이론적으로

0525 □□□ 투게어

together 함께

altogether 완전히, 전적으로
get together 모으다, 합치다, ~와 만나다
put together 합치다, 모으다, 조립하다, 만들다

0526 □□□ 액·셒ㅌ

accept 수락[인정]하다

acceptable 받아들여지는, 용인되는
acceptance 수납, 동의, 승인
unacceptable 받아들이기 어려운, 인정할 수 없는

0527 □□□ 컨·써-은

concern 걱정(하다), 관심(을 갖다), 영향을 미치다

concerning ~에 관하여, ~에 관련한
be concerned about ~에 관심을 가지다, ~을 걱정하다
be concerned with ~에 관심[관련]이 있다
concerned 걱정스러운, 관심을 가진, 관계가 있는

0528 **cover** 덮다, 다루다, 보도하다, 덮개, 커버, 표지
·커'버-

coverage 적용범위, 보도, 취재
covering 덮는, 차폐, 지원
cover up 숨기다, ~을 덮다, ~을 감싸다
hardcover 양장본
uncover 폭로하다, 뚜껑을 벗기다
uncovered 밝혀진, 폭로된, 덮개가 없는, 무방비의

0529 **customer** 고객
·커스터머

custom 관습, 전통
customs 관세, 세관
accustom 익히다, 익숙하게 하다
be accustomed to ~에 익숙해지다
customize 개개인의 요구에 맞추다
unaccustomed 익숙지 못한, 보통이 아닌, 기묘한

0530 **half** 절반(의)
할'ㅍ

half an hour 30분
halve 반으로 줄다[줄이다]
halves half의 복수, halve의 3인칭 단수
half-empty 절반이 빈
half-full 절반이 채워진
숫자-and-one-half (숫자)½ *two-and-one-half = 2½

0531 **price** 가격, 가치
·프롸이ㅅ

high-priced 고가의, 값비싼
priceless 아주 귀중한, 값을 매길 수 없는
lower-price 낮은 가격

0532 **psychological** 심리학의, 심리적인
·싸이칼·라직클

psychologist 심리학자
psychology 심리학

0533 **regular** 규칙적인, 정규의, 보통의
·뤠귤러

regulate 규제하다, 조절하다
regulation 규제, 법률, 규칙, 정규의
regularly 규칙적으로, 정기적으로
irregular 비정규의, 불규칙적인, 비정상적인
irregularly 불규칙적으로
on a regular basis 정기적으로

0534 □□□ ·스토어-

store 가게, 저장(하다)

storage 저장(소), 보관

department-store 백화점

storehouse 창고, 보고

storekeeper 상점 주인

0535 □□□ 블렉

black 검은(색), 흑인의, 어두운

blackout 정전, 기억상실, 보도관제 *언론 보도를 관리하여 제한함

black-and-white 흑백의

0536 □□□ 다이

die 죽다, 사라지다

dying 죽는 순간의, 사망, 죽어가는 자들(the dying)

die down 잦아들다, 희미해지다

0537 □□□ ·'팜

farm 농장, 농지

farmer 농부

farmland 농지, 농토

0538 □□□ 피싀

fish 물고기

fishing 낚시(터), 어획, 어업

fishy 물고기의

fisherman 어부, 낚시꾼

fishery 어장

0539 □□□ ·인·'벤션

invention 발명(품), 창작, 날조

invent 발명하다, 창조하다, 날조하다

inventor 발명가, 창시자

0540 □□□ 어·플라이

apply 적용하다, 신청하다, 지원하다

application 적용, 응용, 신청, 원서, [컴퓨터] 응용 프로그램

applicant 응모자, 신청자, 지원자

apps [컴퓨터] 응용 프로그램 *application의 줄임

apply for ~에 지원하다

0541 □□□ 커·뮤니·케이션

communication 의사소통, 통신, 교통(수단)

communicate 의사소통하다, 전달하다

communicator 전달하는 사람, 전달자

0542 □□□ 컨·트뤼뷰ㅌ
contribute 기부하다, 기여하다
contribution 기부(금), 공헌
contribute to 기여하다
contributor 기부자, 공헌자

0543 □□□ ·어리진
origin 기원, 원산, 태생, 원인
original 원래의, 원본의, 최초의, 독창적인
originally 원래, 처음에는
originate 기원하다, 생겨나다, 만들어지다
originality 독창성
aboriginal 원주민의, 토착(민)의

0544 □□□ 프로그램
program 프로그램(을 만들다), 계획
programme 프로그램(을 만들다), 계획 *program의 영국식 표기
programming 프로그램 제작

0545 □□□ ·씥츄·에이션
situation 상황, 상태, 위치, 처지
situate (어떤 위치에) 두다

0546 □□□ ·스테이
stay 머무르다, 체류하다, 지내다
stay up 안 자다, 깨어 있다

0547 □□□ ·얼렁
along ~을 따라서, ~와 함께, ~을 지나서
along with ~와 함께, ~에 따라, ~와 마찬가지로
alongside 옆에, 나란히
get along with ~와 잘 지내다
go along 따라가다, 나아가다, 동행하다, 찬성하다

0548 □□□ 풀
full 가득한, 완전한, 많은
fully 충분히, 완전히
full-time 종일(의), 전임의, 상근의

0549 □□□ ·헤'비
heavy 무거운, 상당한, 심각한, 심한
heavily 무겁게, 몹시, 심하게

0550 □□□ ·워-음
warm 따뜻한, 보온하다
lukewarm 미지근한
warm up 준비운동하다, 데우다

0551 □□□ ·어덜ㅌ
adult 성인(의), 성숙한
adulthood 성인, 성년

0552 □□□ ·클라이멭
climate 기후, 분위기
climatic 기후상의
clime 지방, 기후, 풍토

0553 □□□ ·대미쥐
damage 손상, 피해, 해치다
damnify 손상하다
undamaged 무사한, 손상되지 않은

0554 □□□ 잌·스페뤼먼ㅌ
experiment 실험(하다)
experimental 실험적인, 실험의
experimentation 실험
experimenter 실험자

0555 □□□ ·그롸운ㄷ
ground 땅, 운동장, 기초, 근거
background 배경(의)
playground 운동장, 놀이터, 행락지
groundwater 지하수
groundless 근거 없는, 사실무근의
underground 지하(의, 에서), 땅속(의, 에서), 비밀의, 비밀리에
ungrounded 근거 없는, 이유 없는

0556 □□□ 프뤼·'벤ㅌ
prevent 막다, 예방하다
prevention 예방(법), 저지
prevent ∽ from doing ~하지 못하게 하다
prevent doing ~하는 것을 막다

0557 □□□ ·퐐러티
quality 품질, 특성, 훌륭한
high-quality 고품질의, 고급의
good-quality 양질의
low-quality 저품질의

0558 □□□ 트뤼
tree 나무

0559 □□□ 어·'펙ㅌ
affect 영향을 미치다, 병이 나게 하다
affecting 감동적인, 애처로운
affection 애정, 애착, 질병
unaffected 자연스러운, 단순한, 꾸밈 없는

0560 □□□ 어'붜이ㄷ
avoid 피하다, 막다
unavoidable 피할 수 없는, 어쩔 수 없는

0561 □□□ ·'패스ㅌ

fast 빠른[르게], 단식(하다)

fast-food 즉석 음식, 패스트 푸드

breakfast 아침 식사

0562 □□□ 피메일

female 여성(의), 암컷(의)

male 남성(의), 수컷(의)

feminist 여성권리신장주의자, 페미니스트

0563 □□□ 핕

fit 꼭 맞는(다), 건강한, 적합한[하다], 어울리는 < fit - fit - fit >

fitness 건강함, 몸매, 적합성, 적당함

fitted 꼭 맞는, 갖춰진, 적합한

fit into ~에 꼭 들어맞다, 적합하다

misfit 맞지 않음, 부적응자

outfit 의상

unfit 부적당한

0564 □□□ ·'퍼-Ðㅓ

further 더 먼, 더욱(이), 그 이상의, 더 멀리

furthermore 더욱이, 게다가

0565 □□□ 메인

main 주요한, 중심적인

mainly 주로, 대부분은

mainland 본토(의)

0566 □□□ 륄라이

rely 의존하다

reliable 믿을 수 있는, 의지 되는

rely on ~에 의존하다

unreliable 믿을 수 없는, 의지할 수 없는

reliance 의존, 신뢰

reliability 신뢰할 수 있음, 신뢰도

rely upon ~에 의존하다

0567 □□□ ·트뤠이ㄷ

trade 거래(하다), 무역

trader 상인, 무역업자, 매매업자

trademark (등록)상표, 특성

0568 □□□ 호울

whole 전체의, 모든, 완전한

as a whole 전체로서

wholly 전적으로, 완전히

on the whole 대체로

0569 □□□ 컬러

color 색, ~에 색칠하다

colorful 색채가 풍부한

colour 색, ~에 색칠하다 *color의 영국식 표기

colored ~한 색깔의, 유색인종의, 착색한

watercolor 수채화, 물감

color-blind 색맹의, 인종 차별을 하지 않는

0570 □□□ ·컽

cut 자르다, 삭감(하다), 베다, 절단 < cut - cut - cut >

cutting 재단, 할인, 벌채, 영화 편집

cut back 줄이다, 삭감하다

cut corners 절약하다, 절차를 생략하다

cut down on ~을 줄이다

cut off 잘라내다, 중단하다, 차단하다

be cut out for ~에 어울리다[적합하다]

cutlet 두툼한 고기 토막

cutout 차단, 도려내기

cutting-edge 최첨단의

0571 □□□ ·이·머-젼씨

emergency 비상상황, 위급

emerge 나타나다, 드러나다

emerging 신흥(의)

emergence 출현, 발생

0572 □□□ 파이·낸셜

financial 금융의, 재정적인, 재무의

finance 재무, 자금, 재정

financially 재정적으로

0573 □□□ 미스터

Mr. ~씨, ~님

Mrs. ~부인, ~여사

Ms. (=Miss) 아가씨

0574 □□□ ·새티스·'파이

satisfy 만족시키다, 채우다

satisfaction 만족

satisfied 만족스러운

satisfying 만족스러운, 만족하기, 욕구 충족(시키는)

dissatisfied 불만족스러운

satisfactory 만족스러운, 충분한

be dissatisfied with ~을 불만스러워 하다

0575 □□□ 트뤄·디션

tradition 전통, 관습, 전설

traditional 전통적인, 전설적인
traditionally 전통적으로
untraditional 전통적이지 않은

0576 □□□ ·디·맨ㄷ

demand 요구(하다), 청구(하다), 캐묻다

demanding 부담되는, 힘든

0577 □□□ 스킬

skill 기술, 솜씨, 숙련

skilled 숙련된, 전문적인
be skilled at ~에 능숙하다
skillful 숙련된, 교묘한

0578 □□□ ·웨이ㅌ

weight 무게, 중량

weigh 무게(를 달다), 심사숙고하다, 중요하다
overweight 과체중(의), 과중
outweigh ~보다 뛰어나다, 중대하다
light-weight 경량의, 가벼운

0579 □□□ ·앤서-

answer 대답(하다), 응답(하다), 해답

0580 □□□ ·뱅ㅋ

bank 은행, (강)둑

banking 은행업, 둑 쌓는(공사)
banker 은행가, 은행 간부
bankrupt 파산한, 파산자
bankruptcy 파산, 파탄

0581 □□□ 디·'펜ㅅ

defense 방어, 변호, 변명

defend 방어하다, 지키다, 변호하다
offence (=offense) 위반, 공격, 범죄, 반칙, 모욕
offender 범죄자, 위반자
defender 방어자, 옹호자, 피고인
offend 화내다, 불쾌하게 하다, 죄를 범하다
defend oneself 항변하다
defence 방어
offense 위반, 공격, 범죄, 반칙, 모욕
defensive 방어적인, 방어의
offensive 공격적인

0582 □□□ ·에'베던ㅅ

evidence 증거, 흔적

evident 분명한, 명백한
self-evident 자명한, 분명한

0583 □□□ 익·재멘
examine 조사하다, 시험하다

exam 시험, 조사
examination 시험, 검사
examiner 조사관, 검사관
unexamined 검사되지 않은

0584 □□□ ·'펑션
function 기능, 역할, 작동

functional 기능(상)의, 실용적인
functionality 기능(성)
dysfunction 기능장애(를 일으키다)

0585 □□□ ·힡
heat 열, 뜨겁게 하다

heating 난방(장치), 가열(하는)
heatstroke 열사병
overheat 과열하다[시키다]

0586 □□□ 어·커-
occur 일어나다, 생기다, 발생하다

occurrence 발생, 상황, 출현

0587 □□□ ·θ앵ㅋ
thank 감사(하다)

thanks "고마워"
thanks to ~의 덕분에[때문에]
Thanksgiving (Day) 추수감사절
thankful 감사하는
thankfully 감사하게도

0588 □□□ 베이비
baby 아기

babysitter 보모

0589 □□□ ·캔서-
cancer 암, 악성 종양

breast cancer 유방암
liver cancer 간암
lung cancer 폐암
anti-cancer 항암의

0590 □□□ ·케멕클
chemical 화학의, 화학적인

chemistry 화학
chemically 화학적으로
chemist 화학자, 약사

0591 □□□ ·노-어믈

normal 정상, 표준

normally 보통은, 정상적으로 | abnormally 비정상적으로

norm 표준, 규범

abnormality 비정상, 기형, 변칙

abnormal 비정상의, 막대한

normality 정상(상태), 보통

0592 □□□ ·뤼·얼라이ㅈ

realize 깨닫다, 실현하다

realization 실현, 깨달음

0593 □□□ ·태스ㅋ

task 업무, 과제

task force 특별조사단, 프로젝트 팀, 기동 부대

0594 □□□ ·클레임

claim 주장(하다), 요구[청구]하다, 권리

proclaim 선언하다, 증명하다

reclaim 다시 요구하다[되찾다], 교정하다, 개간하다

declaim 연설하다, 낭독하다

0595 □□□ ·쥔

gene 유전자

genetic 유전적인, 유전자의, 기원의

genetically 유전적으로, 세습적으로

0596 □□□ 뤼·스퐌서블

responsible 책임이 있는, 믿을 수 있는

responsibility 책임, 의무

irresponsible 무책임한

be responsible for ~에 책임이 있다

responsibly 책임감 있게

0597 □□□ 슬·로우

slow 느린, 늦추다, 천천히

slowly 천천히

slowdown 둔화

0598 □□□ 스포어ㅌ

sport 운동, 경기

0599 □□□ 와이ㅌ

white 하얀(색), 공백으로 하다, 희게 하다, 백인의

non-white 백인이 아닌 사람 | whites-only 백인 전용의

white-collar 사무직의

0600 □□□ ·블러ㄷ

blood 피, 혈통

bleed 출혈하다 < bleed - bled - bled >

bloody 피의, 유혈의

bleeding 출혈(하는), 괴로운

cold-blooded 냉혈의, 냉담한

bloodline 혈통, 혈족

bloodshot 충혈된, 핏발이 선

bloodstream 혈류

blood-sucking 흡혈(의)

0601 □□□ ·에'퍼-ㅌ

effort 노력, 시도

in an effort to ~해보려는 노력으로

make an effort 노력하다

effortlessly 쉽게, 노력없이

0602 □□□ ·에'벌·루션

evolution 진화, 발전

evolve 진화하다, 발전하다

evolutionary 진화(상)의, 점진적인, 진화(론)적인

0603 □□□ ·'필ㄷ

field 들판, 분야, 현장

0604 □□□ ·'파잍

fight 싸움, 싸우다, 전투 < fight - fought - fought >

fighting 싸우는, 전투(의), 호전적인

fighter 전투기, 전사

0605 □□□ 라이브러뤼

library 도서관, 서재

librarian 사서 *도서관 관리인

0606 □□□ ·뤠커그·나이ㅈ

recognize 인정하다, 알아주다

recognition 인식, 인정, 승인

recognizable 인식할 수 있는, 알아볼 수 있는, 본 적 있는

well-recognized 잘 알려진, 잘 받아들여진

0607 □□□ 샌ㄷ

send 보내다, 전하다 < send - sent - sent >

0608 □□□ 어·트랰트

attract 매혹하다, 유인하다, 이목을 끌다

distract 산만하게 하다, 혼란시키다, 기분 전환하다

attractive 매력적인, 눈에 띄는, 마음을 끄는

attraction 매력, 끌림

0609 □□□ ·캐뤼
carry 소지하다, 운반하다
carry on 계속 가다, ~을 계속하다
miscarriage 자연 유산, 실패, 실책
be carried away 넋을 잃다, 무아지경이 되다
carrier 운반인[도구], 항공모함, 보균자
carry away ~을 가져가버리다, ~을 운반하다
carry off 유괴하다, 빼앗다
carry out 수행하다

0610 □□□ 멘·테인
maintain 유지하다, 주장하다, 계속하다
maintenance 유지, 정비, 보수, 지속

0611 □□□ 소어일
soil 토양, 흙, 땅, 더럽히다

0612 □□□ ·스티뮬러ㅅ
stimulus 자극(제), 격려
stimulate 자극하다, 격려하다
stimulating 자극하는, 고무적인
stimulation 자극, 격려, 흥분

0613 □□□ 써·플라이
supply 공급(하다), 보충하다
supplement 보조(식품), 보충(하다), 부록, 보완하다
supplementary 보충하는, 추가의

0614 □□□ 디·스크롸이ㅂ
describe 묘사하다, 설명하다
description 묘사, 서술, 기술

0615 □□□ 씨그·니'피컨ㅌ
significant 중요한, 의미 있는, 상당한
significantly 엄청나게, 중요하게, 의미심장하게
significance 중요(성), 의미(심장함)
signify 의미하다, 나타내다

0616 □□□ 어·취'ㅂ
achieve 성취하다, 달성하다
achievement 성취, 달성, 업적

0617 □□□ 애드·'밴티쥐
advantage 이점, 이익, 장점
disadvantage 불리(한 조건), 손실, 손해
advantageous 유리한, 도움이 되는

0618 □□□ 어·라이'ㅂ

arrive 도착하다, 도달하다

arrival 도착(의), 도달

0619 □□□ ·클린

clean 깨끗한, 순수한, 청소(하다)

clean up 깨끗이 하다, 정리하다

cleaner 청소부, 깨끗한, 세제

cleanse 세척하다, 청결하게 하다

cleanly 깔끔하게, 깨끗이

0620 □□□ ·디·마크러씨

democracy 민주주의

democratic 민주적인, 민주주의의

democrat 민주주의자, 민주당원

0621 □□□ ·다우ㅌ

doubt 의심(하다)

no doubt 의심할 바 없이, 틀림없는

undoubtedly 의심할 여지없이, 분명히

doubtful 의심스러운, 확신이 없는, 의심스러운

doubtfully 미심쩍게, 불확실하게

0622 □□□ ·'퓌륀

foreign 외국의, 이질적인, 대외의

foreigner 외국인, 이방인

0623 □□□ ·아이ㅅ

ice 얼음(의), 빙상의

icy 얼음의, 얼음으로 덮인

iceberg 빙산

0624 □□□ ·뤠이ㅅ

race 경주(하다), 경쟁(하다), 인종

racial 인종의

racing 경주(하는), 경마(의)

racer 레이서, 경주 참가자

racism 인종차별주의

racist 인종 차별주의자(의)

0625 □□□ ·뤠이ㅈ

raise 올리다, 세우다, 일으키다

0626 □□□ 씥

sit 앉다 < sit - sat - sat >

sit in 참가하다, ~에 앉다, ~하게 앉아있다

sit down 앉다, 앉아서 하는(sit-down)

sit on ~(위)에 앉다, ~을 방치하다

0627 □□□ 서-·프롸이ㅈ

surprise 놀라게 하다, 놀라움

surprising 놀라운

surprisingly 놀랍게도

surprised 놀란, 놀라는

0628 □□□ ·웨이'ㅂ

wave 파도, 흔들다, 변화

microwave 전자레인지, 마이크로파(의)

0629 □□□ 에드·'밴ㅅ

advance 나아가다, 진보하다, 승진시키다, 전진, 상승

advanced 전진한, 진보한, 고급의

in advance 앞서서, 미리

advancement 전진, 진보, 승진

0630 □□□ 어·쑴

assume 가정하다, 추측하다, 맡다

assumption 가정, 가설, 사실이라 생각함

assuming ~라 가정한다면, 주제넘은, 거만한

presumably 아마도, 추정하건대

presume 추정하다

0631 □□□ 어·'베일러블

available 이용할 수 있는, 유효한, 가능한

availability 이용 가능성, 유효성

unavailable 이용할 수 없는, 부재중인

0632 □□□ 컴·포우넌ㅌ

component 부품, (구성)요소

compose 구성하다, 조립하다, 작곡하다

composite 합성의

composition 구성(요소), 작문, 작곡, 합성

compound 복합체, 혼합물, 합성의, 악화시키다, ~로 구성되다

composer 작곡가

0633 □□□ ·두 투

due to ~때문에

be due to ~때문이다, ~할 예정이다 (do)

due 정당한, 기일이 된

0634 □□□ 잌·스펜시'ㅂ

expensive 비싼, 사치스러운

expense 비용, 지출

inexpensive 저렴한

expenditure 지출, 비용, 소비

expend 소비하다, 들이다, 쓰다

0635 □□□ ·햅잍

habit 버릇, 습관

habitat 서식지, 거주지
inhabitant 주민, 서식동물
inhabit 살다, 거주하다
habitation 거주(지), 주거

0636 □□□ ·리글

legal 법적인, 합법적인

illegal 불법적인
legally (합)법적으로
illegally 불법적으로
legality 적법함

0637 □□□ ·멘틀

mental 정신의, 마음의, 관념적인

dementia 치매
mentally 정신적으로, 지적으로
mentor 조언자, 스승

0638 □□□ ·아퍼-·투너티

opportunity 기회

0639 □□□ ·스피식-ㅈ

species 종, 인종, 종류

0640 □□□ ·스텦

step 걸음, 발소리, 단계

stepped 계단이 있는, 계단 모양의
back step 뒷걸음질
step into ~를 시작하다, ~에 타다, ~에 발을 디디다
step-by-step 단계적인, 한 걸음 한 걸음의

0641 □□□ ·Ð어ㅅ

thus 따라서, 이와 같이

0642 □□□ ·'비쥬얼

visual 시각적인, 보이는

vision 시력, 시각, 통찰력
visually 시각적으로
visible 보이는, 볼 수 있는, 명백한
invisible 보이지 않는, 무형의
visualization 시각화
visualize 시각화하다, 떠올리다
visibility 눈에 보임, 시야

0643 □□□ 커·뮤니티

community 공동체, 지역사회

0644 □□□ 그린
green 녹색(의), 친환경적인, 잔디밭
greenhouse 온실
greenhouse-gas 온실 가스 *지구를 온난화 시키는 가스
green light 허가, 승인

0645 □□□ 레프ㅌ
left 왼쪽의, *leave의 과거(분사)

0646 □□□ 무·비
movie 영화(의)
action movie 액션 영화

0647 □□□ ·프롸이·메뤼
primary 주요한, 초등의, 기본적인, 첫째의
prime 주요한, 최고의, 기본적인, 제1의
Prime Minister 국무총리, 수상
primarily 주로, 우선

0648 □□□ ·쿠익
quick 빠른, 급한
quickly 빨리, 급히
quicken 빠르게 하다, 서두르게 하다, 촉진하다

0649 □□□ ·세이'ㅂ
save 저장(하다), 구하다
saving 구조(하는), 구원, 절약(하는), ~외에는
savings 저축, 저금
saver 보호기, 절약가, 저축가
lifesaving 구명의, 구조의

0650 □□□ 어·소우씨에이ㅌ
associate 연결시키다, 제휴하다, 교제하다, 동료(의)
association 협회, 연계, 제휴
be associated with ~와 관련되다
associative 연합의, 결합하기 쉬운

0651 □□□ ·쎌
cell 세포
cellular 세포의, 휴대전화의

0652 □□□ 커·밑
commit 저지르다, 범하다, 맡기다
commitment 위탁, 위임, 공약, 약속
committed 헌신적인, 열성적인
committee 위원회
commissioner 위원, 협회장
commission 위임, 수수료, 위임장

0653 □□□ 컨·씨스ㅌ ·어'ㅂ

consist of ~로 구성되다

consistent 한결같은, 일관된
consistently 지속적으로
inconsistency 비일관성, 모순, 불일치
consist with ~와 일치하다
consistency 일관성, 단단함, 농도
consistent with ~와 일치하는
consist in ~에 있다
consistence 일관성, 단단함, 농도

0654 □□□ ·드롸

draw 그리다, 끌어당기다, 무승부 < draw - drew - drawn >

drawing 그림, 소묘
drawn 그려진, 늘어진
drawback 결점, 문제점
drawer 서랍, 속옷(drawers)
withdraw 철수[철회]하다, 인출하다
< withdraw - withdrew - withdrawn >
withdrawal 철수, 탈퇴, 인출, 회수

0655 □□□ ·'피어

fear 공포, 두려움, 불안, 걱정

fearful 무서운, 끔찍한, 두려운
fearfully 무서워하며, 걱정스럽게
fearless 무서워하지 않는, 대담한

0656 □□□ 문

moon 달

honeymoon 신혼여행
moonless 달이 없는[뜨지 않은]
moonlight 달빛
moonlit 달빛이 비치는

0657 □□□ 쏘·어ㅅ

source 원천, 근원, 출처

outsource 외부에 위탁하다

0658 □□□ ·θ

~th ~번째

~th century ~세기
(~월) ~th ~월 ~일

0659 □□□ 얼·뤠디

already 이미, 벌써

0660 □□□ 붜이

boy 소년

boyhood 소년기
boyish 소년 같은

0661 □□□ ·칸·택ㅌ

contact 연락(하다), 접촉(하다)

contagious 전염성인

contagion 전염, 감염

0662 □□□ 잌·스포우ㅈ

expose 드러내다, 노출하다

exposure 노출, 폭로, 드러냄

expose to ~에 드러내다

unexposed 노출되지 않은

0663 □□□ ·'파이널리

finally 마침내, 마지막으로

final 마지막의, 결승전, 최종

finalize 끝내다, 완료하다, 완성하다

0664 □□□ ·머쉰

machine 기계

machinery 기계(류), 조직

0665 □□□ 어·포우ㅈ

oppose (~에) 반대하다, ~에 대항하다

opponent 적수, 반대자, 상대

opposite 반대의, 맞은편의

opposition 반대, 저항, 상대방, 야당(Opposition)

opposed 반대하는, 적대하는, 대립된

be opposed to ~에 반대하다

0666 □□□ 뤼취

rich 부자의, 부유한, 풍부한

enrich 질을 높이다, 풍요롭게 하다

enrichment 풍부(하게) 함, 농축, 강화

richly 부유하게, 호화롭게

richness 부유, 풍부함, 풍요

0667 □□□ ·스트뤅쳐-

structure 구조(하다), 건물, 조직(하다)

infrastructure 하부 구조, 기반 시설, 기초

structural 구조적인, 구조의

0668 □□□ ·템프뤄쳐-

temperature 온도, 체온

0669 □□□ ·챌린쥐

challenge 도전(하다), 도전과제, 이의 제기하다

challenging 도전적인, 도발적인, 흥미를 돋우는

challenger 도전자

0670 **complex** 복잡한, 합성의, 집합체, 콤플렉스
·캄플렉ㅅ

complicate 복잡하게 만들다
complexity 복잡성
complicated 복잡한, 어려운
complication 합병증, 복잡화
uncomplicated 단순한

0671 **depression** 우울함, 불황, 하락
디·프뤠션

depress 낙담시키다
depressed 낙담한, 하락한
depressant 진정시키는, 진정제, 경기 침체시키는
depressing 우울하게 하는, 우울한
depressive 우울한, 저하시키는

0672 **door** 문
도·어

outdoor 집 밖의
doorway 출입구, 현관
indoors 실내에(서), 집안에 있는
indoor 실내의
outdoors 야외에서, 옥외에서
door-to-door 집집마다의, 집 문 앞까지의
doorbell 초인종

0673 **east** 동쪽(의), 동쪽으로
·이스ㅌ

eastern 동양의, 동쪽의
easterner 동부사람
eastbound 동쪽으로 가는, 동쪽 방향의

0674 **goal** 목표, 목적, 득점
고울

0675 **minute** 분, 미세한, 잠깐
·미닡

0676 **patient** 환자, 인내심 있는, 끈기 있는
·페이션ㅌ

patience 인내(심), 끈기
impatient 성급한, 조급한, 안달하는

0677 **promote** 촉진하다, 승진시키다, 판촉하다
프러·모우ㅌ

promotion 승진, (판매)촉진
promotional 홍보의, 판촉의

0678 □□□ ·뤠인지
range 범위, 정렬(하다), 이르다, 사거리, 산맥
ranger 관리원, 유격대원 *특수 부대의 일종

0679 □□□ 뤼·터-은
return 복귀(하다), 반환(하다), 되살아나다
unreturned 되돌려지지 않은

0680 □□□ ·스트뤽ㅌ
strict 엄격한
restrict 제한하다, 한정하다, 통제
strictly 엄격히, 엄밀히
restriction 제한, 구속
restrain 저지하다, 억누르다
restraint 제한, 자제, 규제, 구속
restrictive 제한하는, 한정하는
constraint 강제, 제한
unrestrained 억제되지 않은, 제한 없는

0681 □□□ ·챈ㅅ
chance 기회, 우연, 가능성

0682 □□□ 췍
check 검사(하다), 확인(하다), 점검(하다), 수표
check in 투숙하다, 탑승수속하다
checkpoint 검문소, 검토 항목
check-up 조사, 검토, 검진
check out 확인되다, 나가다, 계산하다
checklist 점검표
recheck 재검토[재검사]하다
unchecked 검사 받지 않은, 억제되지 않은

0683 □□□ 클로우·θㅈ
clothes 의복
cloth 천(의), 옷감
clothe 옷을 입다[입히다]

0684 □□□ 코울ㄷ
cold 추운, 냉정한
coldly 춥게, 냉담하게

0685 □□□ 컬·렉ㅌ
collect 모으다, 수집하다, 받다
collection 수집품
collective 집합적인, 집단적인
collector 수집가
collectively 공동적으로, 총체적으로

0686 □□□ ·'플라이
fly 날다, 비행기를 조종하다, 파리 < fly - flew - flown >

0687 □□□ ·페인ㅌ
paint 그리다, 페인트(칠하다), 물감
painting 그림(그리기), 채색
painter 화가, 도장공

0688 □□□ 뤼·멤버-
remember 기억하다, 회상하다
remembrance 기억, 추억, 추모

0689 □□□ 서·롸운ㄷ
surround 둘러싸다
surrounding 주위의, 주변의, 둘러싸는
surroundings 주변, 환경, 주위

0690 □□□ 디·터-멘
determine 결정하다, 알아내다, 밝히다
determination 결심, 결정

0691 □□□ ·'피규어
figure 수치, 인물, 몸매, 조상
figure out 계산하다, 이해하다, 알아내다, 해결하다
configuration 구성, 배치, 형상, [컴퓨터] 환경설정

0692 □□□ ·재너·뤠이션
generation 세대, 발생
generate 발생시키다, 초래하다, 생성하다
generating 생성하는, 전기 발전하는

0693 □□□ 힡
hit (부딪)치다, 히트를 치다 < hit - hit - hit >
hit the ceiling 길길이 뛰다, 폭등하다
hit the jackpot 대박 나다
hit the sack 잠자리에 들다
hit upon ~을 생각해 내다
hit-and-run 뺑소니의, 기습적인
hit the road 출발하다, (여행을) 떠나다

0694 □□□ 오우
oh "오!"
oh, dear! "이런!"
oh, no! "안돼!"
oh, yes! "좋아!"
oh, gosh! "이런!"
oh, my god! "세상에!"

0695 □□□ 파-·티서펀ㅌ
participant 참가자
participate in ~에 참여하다
participation 참여, 참가

0696 □□□ ·파-티
party 파티, 정당, 단체

0697 □□□ 프러·'페셔널
professional 전문적인, 직업의, 전문가

professor 교수
profession 직업, 전문직
professionally 전문적으로, 직업적으로
profess 고백하다, 공언하다

0698 □□□ ·프롸'퍼ㅌ
profit 이익(을 얻다), 흑자

profitable 수익이 좋은, 유익한

0699 □□□ 롸우ㄷ
road 도로, 길

roadside 길가(의), 대로변(의)
inroad 침해(하다), 침략(하다)
roadway 도로, 차도

0700 □□□ 스피ㄷ
speed 속도, 신속(하게 가다)

high-speed 고속의
speed up 가속화(하다)
speedy 빠른, 신속한

0701 □□□ 투워ㄷ(ㅈ)
toward(s) ~쪽으로, 향하여

toward 시간 ~쯤에

0702 □□□ ·'비지ㅌ
visit 방문(하다), 찾아가다[오다], 체류(하다)

visitor 방문객, 손님

0703 □□□ 어·카운ㅌ
account 계좌, 계정

account for ~을 설명[해명]하다, 차지하다
on account of ~의 이유로
accountant 회계원, 회계사

0704 □□□ ·페인
pain 고통, 통증

painful 고통스러운
painlessly 고통 없이

0705 □□□ ·콰잍
quite 아주, 완전히, 상당히

0706 □□□ ·래피들리

rapidly 빨리, 신속히

rapid 빠른, 신속한

0707 □□□ 브랜ㄷ

brand 상표, 상품

brand-new 아주 새로운, 신품의

0708 □□□ 돠ㄱ

dog 개

doggy 개(의), 개 같은

doggedly 거세게, 끈질기게

0709 □□□ ·드랖

drop 떨어뜨리다, 하락, 방울

drop by ~에 들르다

drop out 중퇴[탈퇴](하다), 떨어지다, 손 떼다

drop off 갖다 놓다, 떨어지다, 감소하다

0710 □□□ ·엑서-·싸이ㅈ

exercise 운동(하다), 연습, 행사(하다), 발휘(하다)

0711 □□□ 하이

hi "안녕"

hello "안녕", "여보세요"

hey "이봐"

0712 □□□ ·메져

measure 측정(하다), 조치, 수단

measurement 측정, 측량, 치수

measurable 측정할 수 있는, 눈에 띄는, 알맞은

immeasurably 헤아릴 수 없을 정도로

0713 □□□ ·뤙

wrong 잘못된, 틀린, 나쁜[나쁨], 오해하다

wrongdoing 나쁜 짓, 비행, 범죄

wrongly 부정하게, 사악하게, 잘못하여

0714 □□□ ·베이식

basic 기본(적인), 기초(의)

basically 근본적으로

0715 □□□ ·버-은

burn 불타다, 화상, 없애다, 굽다 < burn - burnt - burnt >

burning 불타는, 연소(중인), 열렬한

burnt 탄, 소각된, 화상 입은

burn up 전소되다, 연소

0716 □□□ 커·'피

coffee 커피

0717 □□□ 커·넥션
connection 관련성, 연결, 접속, 연줄, 관계

connect 연결하다, 관련시키다
connecting 연결하는, 이음
disconnect 연결[접속]을 끊다

0718 □□□ 익·쉪ㅌ
except ~을 제외하고, 제외하다

exception 예외, 제외
except for ~을 제외하고는
exceptional 예외적인, 특별한
exceptionally 예외적으로, 뛰어나게
exceptive 예외적인, 제외의

0719 □□□ ·엑스퍼-ㅌ
expert 전문가, 숙련된

expertise 전문 지식, 전문 분야, 전문성

0720 □□□ ·리스ㅌ
least 가장 적은[작은], 최소(의)

0721 □□□ 마이그랜ㅌ
migrant 이민자, 이주하는

immigrant (들어온) 이민자
migrate 이주하다, 이동하다
migration 이주
immigration 이주, 이민
emigration (나가는) 이주, 이민
immigrate 이민오다, 이주하다
emigrate 이민을 나가다

0722 □□□ ·마들
model 모델, 모형, 방법

mode 형태, 방식, 수단, 유행
modeling 모형 제작, 조형
remodel 개조하다
supermodel 슈퍼모델
remodeling 개조

0723 □□□ ·뤠얼리
rarely 드물게, 좀처럼 ~하지않는

rare 희귀한, 드문
rarity 희귀함, 희박

0724 □□□ 뤼·무'ㅂ
remove 제거하다, 없애다, 옮기다, 이동하다

removal 제거, 이동, 철거
removable 제거할 수 있는, 이동할 수 있는

0725 □□□ 뤼·저-'ㅂ

reserve 예약하다, 비축(하다), 예비

preserve 보존하다, 저장하다

reservation 예약, 보류, 보호구역

preservation 보존, 저장

preservative 방부제, 예방

reservoir 저수지, 저장(소), 축적

0726 □□□ ·스프뤠ㄷ

spread 펼치다, 확산시키다 < spread - spread - spread >

widespread 광범위한, 널리 퍼진

0727 □□□ ·스트륕

street 거리, 도로

0728 □□□ ·썹스턴ㅅ

substance 물질, 본질, 핵심, 요지

substantial 상당한, 실질적인, 실속 있는, 물질적인

subsistence 생존, 존재, 실재

substantially 실질적으로, 충분히

0729 □□□ ·아디언ㅅ

audience 관객, 청중

audible 잘 들리는

audio 음성의, 오디오, 청각의

auditorium 강당, 관객석

auditory 청각의

0730 □□□ ·커-런ㅌ

current 현재의, 통용되는, 흐름, 기류, 전류, 경향

currently 지금, 현재, 일반적으로

currency 통화, 통용, 유통

0731 □□□ ·딮

deep 깊은

deeply 깊이, 몹시

depth 깊이

deepen 깊게 하다, 짙게 하다, 심화시키다

0732 □□□ 디·그뤼

degree 각도, 정도, 온도, 도, 학위, 등급

0733 □□□ ·'프뤈ㅌ

front 앞면, 정면, (~을)향하다

confront 맞서다, 직면하다

confrontation 대치, 대립

frontier 국경, 미개척지, 최첨단, 새 분야

0734 □□□ ·져쥐
judge 판사, 재판하다
judgment 심판, 판단, 판결, 재판
jury 배심원단, 심사위원
judicial 사법의, 법적인, 재판의
judgement 판단, 판결

0735 □□□ ·미·스테잌
mistake 실수(하다), 오해(하다) < mistake - mistook - mistaken >
mistaken 오해한, 틀린, 실수의
by mistake 잘못하여, 실수로
mistakenly 잘못하여, 실수로

0736 □□□ 마운튼
mountain 산(더미), 언덕
mount 산, 오르다, 탑재하다

0737 □□□ 프뤼·페어
prepare 준비하다
preparation 준비, 예비, 태세

0738 □□□ ·퍼블리싀
publish 출판하다, 발표하다
publication 출판(물), 발행(물), 발표
publishing 출판, 출판업
publisher 출판인

0739 □□□ 륄·리젼
religion 종교, 신앙
religious 종교의, 신앙의

0740 □□□ 씨·큐리티
security 보안, 안전, 보장, 경비
secure 확보하다, 안전한, 보장하다, 보호하다
insecure 불안한, 자신 없는
insecurity 불안(정), 위험

0741 □□□ ·셰이ㅍ
shape 모양, 모습, 형성하다

0742 □□□ 컬리쥐
college 대학
community college 지역 전문 대학

0743 □□□ ·엘ㅅ
else 그 밖에[의], 다른, 그렇지 않으면
elsewhere 다른 곳에서, 다른 경우에서
anything else? "다른 건?"

0744 □□□ ·'패ㅌ

fat 지방, 뚱뚱한

fatty 지방질의, 지방이 많은, 기름진

high-fat 고지방의

trans fat 트랜스 지방 *건강에 나쁜 지방 성분의 일종

nonfat 무지방

low-fat 저지방의

0745 □□□ 고울ㄷ

gold 금(의), 금으로 된

golden 금(빛)의, 황금의

0746 □□□ ·이·매젼

imagine 상상하다, 가정하다

imagination 상상력, 상상

imaginary 상상의, 가상의

imaginable 상상할 수 있는, 상상이 가능한

0747 □□□ ·이·미디어틀리

immediately 즉시, 직후에

immediate 즉각적인, 당면한

0748 □□□ ·줘인

join 가입하다, 연결하다[되다], 참여하다

joint 공동의, 관절, 이음매

conjoin 결합하다[시키다]

jointly 공동으로

adjoin 인접하다, 붙어 있다

0749 □□□ ·리터러쳐-

literature 문학

literary 문학의, 문학적인, 교양 있는

literal 문자 그대로의, 문자상의

literally 문자 그대로, 정말로

literacy 읽고 쓰는 능력

literate 글을 읽고 쓸 줄 아는, 식자

illiterate 문맹의, 무식한

0750 □□□ ·메뤼쥐

marriage 결혼(생활), 결혼식

marry 결혼하다

married 결혼한

unmarried 미혼의

0751
□□□
뤼·코-어ㄷ (동)
뤠·코-어ㄷ (명)

record 기록하다, 녹음하다, 기록

record-breaking 기록을 깨뜨림
recorder 녹음기, 기록장치, 기록자

0752
□□□
·워-θ

worth 가치(있는), ~할만한

worthless 가치 없는, 보잘 것 없는
be worth doing ~할 만한 가치가 있다
worthwhile ~할 보람이 있는, 시간과 노력을 들일 만한
worthy 가치 있는, 훌륭한
unworthy 가치 없는, 자격이 없는, 걸맞지 않은
worthy of ~할 만한

0753
□□□
어·크뤄어ㅅ

across ~을 가로질러, ~와 교차하여, 건너다

across the board 전반적으로, 전면적인

0754
□□□
·에인션ㅌ

ancient 고대의, 옛날의, 고대인

0755
□□□
·카운ㅌ

count 세다, 계산하다, 중요하다

countless 셀 수 없는, 무수한
discount 할인(하다), 가감하여 듣다
count on ~을 기대하다, ~에 의지하다
숫자% discount ~% 할인

0756
□□□
어·'피션ㅌ

efficient 능률적인, 유능한

efficiency 효율(성), 능률
efficiently 능률적으로
coefficient [수학] 계수
efficacy 효능, 유효
energy-efficient 연료 효율이 좋은
fuel-efficient 연비가 좋은
highly-efficient 고효율의
inefficiency 비효율, 무능
inefficient 비효율적인

0757
□□□
엔·커-뤼즤

encourage 용기를 북돋다, 고무시키다, 촉진하다

encouragement 격려, 장려

0758 □□□ ·'페이버-

favor 호의(를 보이다), 찬성(하다), 선호하다, 베풀다

favorite 좋아하는, (가장)선호하는
in favor of ~에 찬성하여
favorable 호의적인, 유리한, 유망한
favour 호의(를 보이다), 찬성(하다), 선호하다, 베풀다 *favor의 영국식 표기
unfavorable 악의적인, 비판적인, 불리한, 상황이 나쁜
do ~ a favor ~의 부탁을 들어주다, ~를 위하다
favourite 좋아하는, (가장)선호하는 *favorite의 영국식 표기
unfavorably 부정적으로, 불리하게

0759 □□□ ·'파인

fine 훌륭한, 잘, 벌금, 미세한

finest 가장 좋은, 최고급

0760 □□□ ·'풔쳔

fortune 행운, 운, 재산

unfortunately 불운하게도, 유감스럽게도
fortunately 다행히도, 운이 좋게도
unfortunate 불운한, 유감스러운, 부적당한
fortunate 운이 좋은, 다행인
misfortune 불운, 역경

0761 □□□ ·메머뤼

memory 기억(력), 추억, 추모

memorize 암기하다, 기억하다
memorable 기억할 만한, 인상적인
memo 메모, 보고서

0762 □□□ ·미ㅅ

miss 놓치다, 그리워하다, 빗나감, 실패

missing 없어진, 분실한, 행방불명인

0763 □□□ 퍼-·셒션

perception 지각, 인식, 직관, 견해

perceive 지각하다, 인식하다, 이해하다
imperceptible 감지할 수 없는, 미미한
perceptual 지각의

0764 □□□ ·피뤄어ㄷ

period 기간, 시기, 시대, 단계

periodic 주기적인
periodic table 주기율표
periodically 정기[주기]적으로

0765 □□□ ·뤠디

ready 준비된, 준비하다, 미리

be ready to do ~하기를 마다하지 않다, 기꺼이 ~하다

readily 손쉽게, 즉시

readiness 준비(가 되어 있음), 신속

0766 □□□ 쎄일ㅈ

sales 판매, 영업

sale 판매, 매각, 매매, 할인

salesman 판매원

on sale 판매 중의, 할인 중의

salesperson 판매원, 점원

wholesale 도매의, 대량 판매의

after-sales 판매 후의

for sale 팔려고 내놓은

0767 □□□ ·써-취

search 찾다, 검색, 조사(하다)

searcher 검사관, 검색기

0768 □□□ ·스틱

stick 막대기, 붙이다, 찌르다, 고집하다 < stick - stuck - stuck >

stuck 열중한, 반한

stick to 고수하다, 달라붙다

sticky 끈적거리는, 들러붙는, 까다로운, 무더운

sticker 스티커, 접착제

0769 □□□ ·웨·θ어

weather 날씨, 기후

under the weather 몸이 편찮은

0770 □□□ ·액씨덴ㅌ

accident 사고, 우연

accidental 우연한, 우발적인

accidentally 우연히, 뜻하지 않게

by accident 우연히

0771 □□□ 어·프롸우취

approach 접근하다, 가까워지다

0772 □□□ ·캐취

catch 잡다, 체포하다 < catch - caught - caught >

catch up (with) (~을) 따라잡다[따라가다], (~을) 처벌하다

0773 □□□ ·하-암

harm 해(치다), 피해(를 주다), 손해

harmful 해로운

harmless 해가 없는

unharmed 상하지 않은, 무사한

0774 ·임·팩ㅌ **impact** 충격, 충돌, 영향

have an impact on ~에 영향을 주다

0775 ·키 **key** 열쇠, 비결

keystone 쐐기돌, 요점, 요지
key factor 주요 요인
keyboard 키보드
key point 요점

0776 메씨지 **message** 메시지, 전언, 말씀

messenger 전달자, 집배원, 외교사절

0777 프리·딕ㅌ **predict** 예언하다, 예보하다

prediction 예측, 추정, 예언, 예상
predictable 예측[언] 할 수 있는
predictor 예언자
unpredictable 예측할 수 없는

0778 롸이ㄷ **ride** 타다, 승차 < ride - rode - ridden >

riding 타고 가는, 승차, 승마
rider 탑승자, ~을 타는 사람
ridden 지배된, 시달린, 득실대는
crime-ridden 범죄가 들끓는
guilt-ridden 죄의식에 찬
override 무시하다, [컴퓨터] 재정의하다

0779 ·롸ㅋ **rock** 바위, 락 음악, 흔들다

rocky 바위로 된, 바위 투성이의, 험난한

0780 ·스탠더ㄷ **standard** 표준(의), 기준, 규격, 보통의

standardize 표준화하다
standardization 표준화, 규격화

0781 어·택 **attack** 공격(하다)

attacker 공격자

0782 ·챠-즤 **charge** 요금, 충전하다, 채우다, 부과하다

in charge of ~을 담당하는
discharge 방출(하다), 해고(하다), 발사하다
recharge 재충전(하다), 역습

0783 □□□ ·칸셒ㅌ
concept 개념
misconception 오해
conception 구상, 개념, 이해, 신념
conceptual 개념의, 구성의

0784 □□□ 컨·스트럭션
construction 건설, 건축, 공사
construct 건설하다
constructive 건설적인, 구조적인

0785 □□□ 디·자이어-
desire 욕구, 원하다
undesirable 바람직하지 못한, 원하지 않는
desirable 바람직한, 탐나는, 호감 가는
desirably 바람직하게, 탐나게

0786 □□□ 엔쥔
engine 엔진, 기관
engineer 기술자, 공학자
engineering 공학기술, 공학

0787 □□□ ·'피ㄷ
feed 먹이(주다), 공급하다 < feed - fed - fed >
feedback 반응, 의견
feeding 수유, 먹이 주기
be fed up with 진저리가 나다
feed on ~을 먹고 살다, ~을 먹이로 하다

0788 □□□ ·모우먼ㅌ
moment 순간, 때, 잠시
momentum 기세, 운동량, 탄력, 가속도
momentary 순간적인, 잠깐의

0789 □□□ ·나'블
novel 소설, 새로운
novelist 소설가
novelty 신기함, 새로움

0790 □□□ ·오·일
oil 기름, 석유
oil tanker 유조선, 유조차
oily 기름진, 기름의

0791 □□□ ·퍼-페ㅅ
purpose 목적, 의도(하다)
on purpose 고의로
multipurpose 다목적의
purposeful 목적의식이 있는, 결의에 찬
purposely 고의로

0792 □□□ ·뤼젼
region 지역, 영역
regional 지역의, 국부의

0793 □□□ 뤼쏘어ㅅ
resource 자원, 자료, 자산, 공급원
resourceful 수완이 좋은, 재치가 풍부한, 자원이 풍부한

0794 □□□ 싸이ㅌ
site 현장, 인터넷 사이트
website 인터넷 웹사이트

0795 □□□ ·싸이ㅈ
size 크기, 치수, 규모
downsize 줄이다, 감축하다
king-size 특대형의
medium-sized 중간 크기의

0796 □□□ 어·댚ㅌ
adapt 조정하다, 적응하다[시키다], 각색하다
adaptation 적응, 적합, 각색
adaptive 적응의, 적응할 수 있는
adaptability 적응성, 융통성
adaptable 적응할 수 있는, 융통성 있는
adaptively 적응하여

0797 □□□ ·'필
fill 채우다, 가득 차다
fill in ~을 채우다
be filled with ~로 가득 차있다
fill up ~을 가득 채우다
unfilled 채워지지 않은

0798 □□□ 리쓰닝
listening 청취, 주의 깊은
listen 듣다, 경청하다
listener 듣는 사람, 청취자

0799 □□□ ·프뤠저덴ㅌ
president 대통령, 회장
vice-president 부통령, 부사장

0800 □□□ 프린ㅌ
print 인쇄(하다)
printer 인쇄기, 인쇄업자
printout 출력물
misprint 잘못 인쇄하다

0801 □□□ ·스트롸잌
strike 치다, 때리다, ~에 충돌하다, 파업하다 < strike - struck - struck >
striking 파업, 눈에 띄는
strikingly 눈에 띄게

0802 □□□ ·팀
team 팀, 조, 단체의
teammate 팀원, 동료
teamwork 협업, 협력

0803 □□□ 어·버'ㅂ
above ~보다 위에, 위에, ~을 넘는, 위쪽의
above all 무엇보다, 특히

0804 □□□ ·얼론
alone 홀로, 외로이
lonely 외로운, 홀로
let alone ~은 고사하고, ~은 물론
loneliness 고독, 외로움

0805 □□□ 어·퐈-ㅌ
apart 떨어져, 분리된, 별개로(의)
apartment 아파트
apart from ~외에는, ~을 제외하고
take apart 분해하다, 비판하다

0806 □□□ 빌
bill 계산서

0807 □□□ ·드륌
dream 꿈(꾸다) < dream - dreamt - dreamt >
dreamer 몽상가, 꿈꾸는 사람

0808 □□□ 에·센셜
essential 본질적인, 정수의, 필수적인
essentially 본질적으로, 본래
essence 본질, 정수, 핵심

0809 □□□ 잌·스팬ㄷ
expand 넓히다, 확대하다, 확장하다
expansion 확대, 확장, 팽창
expanse 넓게 트인 지역
expansive 포괄적인, 팽창의, 광범위한

0810 □□□ ·인·'베스트먼ㅌ
investment 투자
invest 투자하다
investor 투자자

0811 □□□ ·레이붜
labor 노동, 노력, 출산
elaborate 공들인, 정교한, 자세하게 하다
labour 노동, 노력, 출산 *labor의 영국식 표기
collaboration 협동, 공동 연구
labor union 노동조합
collaborative 공동의
collaborate 협력하다

0812 □□□ 스타

star 별, 인기스타

five-star 5성급의
starfish [동물] 불가사리

0813 □□□ ·테러-블

terrible 끔찍한, 무서운

terrify 무섭게 하다, 놀래다, 위협하여 ~시키다
terribly 무섭게, 지독하게, 몹시
terrified 무서워하는, 겁먹은
terror 공포, 테러
terrifying 겁나게 하는, 놀라게 하는
terrorism 테러행위, 공포정치
terrorist 테러범(의), 폭력주의자
terrific 무서운, 굉장한

0814 □□□ ·타운

town 마을, 동네

downtown 시내에, 도심지의　　uptown 주택 지구에(의), 부촌
township 읍, 군
hometown 고향
townhouse 연립주택

0815 □□□ 버-ㄷ

bird 새

0816 □□□ 컨·테인

contain 들어있다, 함유하다, 억누르다

container 그릇, 용기, 화물 컨테이너
containment 견제, 억제

0817 □□□ ·코어퍼·뤠이션

corporation 법인, 주식회사, 기업

corporate 법인의, 단체의

0818 □□□ ·크뤠디ㅌ

credit 신용 거래, 신뢰, 신용도, 융자, 칭찬

incredible 엄청난, 믿을 수 없는　　credible 믿을 수 있는
incredibly 믿을 수 없이, 엄청나게
credit-card 신용 카드
credibility 신뢰성

0819 □□□ 싸이클

cycle 주기, 순환(하다), 자전거

bicycle 자전거
recycle 재활용하다
motorcycle 오토바이
recycling 재활용

0820 □□□ 데이ㅌ
date 데이트, 날짜, 대추 열매

update 최신화(하다), 갱신(하다)
outdated 구식인, 진부한
to date 현재까지
out-of-date 구식의, 시대에 뒤떨어진
up-to-date 최신의, 최근의

0821 □□□ ·드뤄ㄱ
drug 약(물), 마약

drugstore 약국

0822 □□□ ·이메일
email 전자우편

mail 우편, 갑옷

0823 □□□ 에·스태블리시
establish 설립하다, 세우다

establishment 기관, 시설, 설립

0824 □□□ ·'플로우
flow 흐름, 흐르다

overflow 넘치다, 넘쳐흐르다

0825 □□□ ·게인
gain 얻다, 쌓다, 증가하다

0826 □□□ ·하이ㄷ
hide 숨기다, 감추다, 가죽 < hide - hid - hid, hidden >

hidden 감춰진, 숨은, 비밀의

0827 □□□ ·휴즤
huge 거대한

hugely 대단히, 엄청나게, 상당히

0828 □□□ ·스케일
scale 규모, 비례, 등급, 비늘

scales 저울, 비늘

0829 □□□ 쏴뤼
sorry 미안한, 유감스러운, "미안해"

sorry to do ~해서 미안한[유감스러운]
sorry to hear ~라니 안타까운

0830 □□□ ·워ㅅ
worse 보다 나쁜, 악화되어, 더욱 나쁘게

worst 최악의, 가장 나쁜
worsen 악화되다, 악화시키다

0831 □□□ ·에이젼씨 **agency** 대리점, 대행사, 알선소

agent 대리인, 수사관, 요원, 첩보원

0832 □□□ ·써-컴·스탠ㅅ **circumstance** 환경, 상황, 사정

circus 서커스(단), 원형 광장

circulation (혈액)순환, 유통

circumvent 돌다, 우회하다

under no circumstances 무슨 일이 있어도

circuit 순환(로), 순회, (전기)회로

0833 □□□ ·컴'퍼터블 **comfortable** 안락한, 편안한, 만족하는

comfort 위로(하다), 안심시키다

discomfort 불편(함)

uncomfortable 불편한, 불편하게 하는

comfortably 편안하게, 여유롭게

0834 □□□ ·데이터 **data** 자료

database 데이터베이스 *자료 모음

0835 □□□ 디·파-트먼ㅌ **department** 부서, 학과

department store 백화점

0836 □□□ ·그어-얼 **girl** 소녀

girlfriend 여자친구, 애인

girlish 소녀 같은

0837 □□□ ·매뉴·'팩쳐 **manufacture** 제조(하다), 제조업

manufacturer 생산자, 제작자, 제조업자

manufacturing 제조, 제작, 제조업(의)

0838 □□□ ·퍼- **per** ~마다, ~당

per-hour 시간당

per-year 연간

0839 □□□ 펄·루션 **pollution** 오염, 공해

pollutant 오염 물질, 오염(원)

pollute 오염시키다, 더럽히다

air-pollution 대기[공기] 오염

0840 □□□ 퍼·텐셜 **potential** 가능성, 가능한, 잠재적인

potentially 잠재적으로

potentiality 잠재력, 잠재적인 것

0841 □□□ ·토우틀

total 합계(하다), 전체의, 완전한

totally 완전히, 아주

0842 □□□ ·웨이스ㅌ

waste 쓰레기, 낭비하다

wasteful 낭비적인

wastage 낭비, 소모

waste A on B B에 A를 낭비하다

0843 □□□ ·액·세ㅅ

access 접근, 접속

accessible 접근하기 쉬운, 이용 가능한

inaccessible 접근하기 어려운

0844 □□□ 어·'프뤠이ㄷ

afraid 두려워하는, 걱정하는, 유감인

be afraid that ~에 대해 걱정하다

be afraid of ~을 두려워하다

0845 □□□ ·뷰티'프를

beautiful 아름다운

beauty 아름다움, 미인

beautifully 아름답게

beautify 아름답게 하다, 아름다워지다

0846 □□□ 디스트뤄이

destroy 파괴하다

destruction 파괴, 파멸

destructive 파괴적인

0847 □□□ 엔·타이어-

entire 전체의

entirely 완전히, 전적으로

0848 □□□ ·에스티메이ㅌ

estimate 추산[추정]하다, 평가하다, 추정(치), 견적서

estimated 견적의, 추측의

underestimate 과소평가(하다), 얕보다

0849 □□□ 익·잭틀리

exactly 정확히

exact 정확한, 정밀한

inexact 부정확한

0850 □□□ ·인·컴

income 소득, 수입, 수익

outcome 결과, 성과

low-income 저소득의

high-income 고소득의

incoming 들어오는, 옴, 소득, 신입의

0851 ☐☐☐ ·메θ에ㄷ

method 방법, 수단, 절차

0852 ☐☐☐ ·오우케이

OK "네", "좋아", 승인(하다)

okay (=OK) "네", "좋아", 승인(하다)

0853 ☐☐☐ 퍼-·쑤

pursue 추구하다, 추적하다

pursuit 추구, 추적

0854 ☐☐☐ ·티

tea 차, 찻잎

green tea 녹차

black tea 홍차

iced tea 냉홍차, 아이스티

0855 ☐☐☐ ·위즈덤

wisdom 지혜, 지식, 현명

wise 현명한, 똑똑한

wisdom tooth 사랑니

wit 지혜, 지력, 기지, 재치

witty 재치 있는

wiseman 현자

unwitting 의도하지 않은, 고의가 아닌

wisely 현명하게

0856 ☐☐☐ 얼·터-너티'ㅂ

alternative 대안(의), 양자택일

alter 변경하다, 바꾸다, 달라지다

alternate 교대[교체]시키다, 교대의, 번갈아 하는

alternatively 그 대신에, 번갈아, 교대로

alterable 변경할 수 있는

0857 ☐☐☐ ·암

arm 팔, 무기, 무장하다

army 육군, 군대

armed 무장한, 군사력에 의한, ~팔을 가진

armpit 겨드랑이, 불쾌한 장소

forearm 팔뚝

0858 ☐☐☐ ·아θ어-

author 저자, 작가

authorship 원작자, 저자

0859 □□□ 어·웨어
aware ~을 아는, 의식하는, 자각하는

awareness 자각, 인식
be aware of ~을 알다
beware 조심하다, 경계하다
unaware 모르는, ~을 알지 못하는

0860 □□□ 컨·클루ㄷ
conclude 결론[판단]을 내리다

conclusion 결말, 결론
conclusive 결정적인, 단호한
conclusively 결정적으로

0861 □□□ ·칸버-·세이션
conversation 대화, 회화

conversely 반대로, 거꾸로
converse 대화하다, 거꾸로의, 정반대의

0862 □□□ 디·클라인
decline 감소, 쇠퇴, 거절하다

declining 기우는, 쇠퇴하는

0863 □□□ 일·렉션
election 선거

elect 선거하다, 선출하다
electoral 선거의
unelected 선출되지 않은

0864 □□□ ·모럴
moral 도덕적인, 윤리적인

morality 도덕(성), 교훈
immoral 부도덕한, 음란한
morally 도덕적으로, 실제로

0865 □□□ ·픽쳐-
picture 사진, 묘사, 그림

pictorial 그림의, 그림을 이용한
take a picture 사진을 찍다

0866 □□□ ·뤠프뤼·젠ㅌ
represent 대표하다, 표현하다

representative 대표(하는), 대리인, 국회의원
representation 대표, 표시, 연출, 설명

0867 □□□ ·섹터-
sector 부문, 영역, 분야, 부채꼴

section 부분, 구역, 부문, 부서, 절개
intersection 교차(로), 교차점, 횡단

0868 □□□ ·서머-
summer 여름(의)
summer vacation 여름 방학
summer session 하계 강좌
summer home 여름 별장

0869 □□□ ·탚
top 정상(의), 최고의, 일류의
from top to toe 머리부터 발끝까지, 완전히

0870 □□□ ·유니·버-ㅅ
universe 우주, 세계
universal 보편적인, 전 세계의, 우주의
universally 보편적으로, 전 세계적으로, 널리
universality 보편성, 일반성, 만능

0871 □□□ ·위싀
wish 희망하다, 소원

0872 □□□ ·칸트래스ㅌ
contrast 차이, 대비(시키다), 대조(하다)
be contrast to ~와는 정반대이다

0873 □□□ ·달러-
dollar 달러 $

0874 □□□ 잌·스트륌리
extremely 극단적으로
extreme 극도(의), 극단(의)

0875 □□□ ·'페임어ㅅ
famous 유명한
infamous 악명 높은, 수치스러운
fame 명성, 고유, 평판
famed 유명한, 이름난

0876 □□□ 핱
hot 더운, 뜨거운, 뜨겁게

0877 □□□ ·임·프뤠ㅅ
impress 깊은 인상을 주다
impression 인상, 감명
impressive 인상적인, 감동적인

0878 □□□ ·페이퍼-
paper 종이, 서류

0879 □□□ ·퍼-쳐ㅅ

purchase 구매하다, 획득하다

purchaser 구매자

0880 □□□ 뤼·액ㅌ

react 반응하다, 대답하다

reaction 반응, 반작용, 반동

reaction time 반응 시간

0881 □□□ ·테이스ㅌ

taste 맛보다, 취향, 시식하다, 미각

tasty 맛 좋은, 맛있는

0882 □□□ ·θ뤠ㅌ

threat 위협, 협박

threatened 멸종위기에 처한, 위협된

threatening 위협적인

threaten 위협하다

0883 □□□ 에드·밑

admit 인정하다, 허가하다, 들이다

admission 입장(료), 입학, 승인

admittedly 인정하건대, 틀림없이

admit of 여지가 있다, 허용하다

0884 □□□ ·바인ㄷ

bind 묶다, 감다, 싸다, 결속시키다 < bind - bound - bound >

bound 꼭 ~할 것 같은, 얽매인, 튀어 오르다, 제한하다

boundary 경계(선)

be bound to do 반드시 ~하다, ~하려고 마음먹다

boundless 끝이 없는

bounds 경계(선), 한계

unbounded 제한되지 않은, 무한한

0885 □□□ ·바잍

bite 물다 < bite - bit - bitten >

0886 □□□ 커·패서티

capacity 용량, 능력, 수용력

capable ~할 수 있는, 유능한

capability 능력, 역량, 성능

be capable of ~할 수 있다, 능력이 있는

incapable ~할 수 없는, 무능한

incapacitate 무력화하다

capacious 널찍한, 포용력 있는

0887 □□□ ·쿨

cool 시원한, 멋진, 냉담한

cooler 냉각기, 냉방 장치

cool off 식다, 시원해지다[하게 하다]

coolly 냉정하게

0888 □□□ ·디스턴ㅅ

distance 거리, 먼 거리, 간격

distant 거리가 먼

0889 □□□ ·이어

ear 귀

eardrum 고막

earlobe 귓불

earphone 수신기, 이어폰

ear-stopper 귀마개

0890 □□□ ·헤어

hair 머리카락, 털

hairdresser 이발사, 미용사

hairless 대머리의, 털이 없는

hairline 두발선, 아주 가느다란(선)

hairstyle 헤어스타일

0891 □□□ ·인트뤄듀ㅅ

introduce 소개하다, 도입하다

introduction 소개, 도입, 서론, 입문

0892 □□□ 로ㅅ

loss 분실, 손해, 상실, 패배

at a loss 어쩔 줄 모르는

0893 □□□ ·패턴

pattern 무늬(를 만들다), 양식, 모범

0894 □□□ ·뤠스ㅌ

rest 나머지, 휴식(취하다)

unrest 불안, 걱정, 동요

restless 가만히 못있는, 불안정한

0895 □□□ ·식

seek 찾다, 추구하다, 노력하다, 시도하다 < seek - sought - sought >

seeker 찾는 사람

0896 □□□ 스타일

style 스타일, 유행, 방법, 양식(에 맞추다)

stylish 유행의, 멋진, 세련된

stylist 스타일리스트

stylus 레코드 바늘, 기록침

0897 □□□ 써·포우ㅈ
suppose (~라) 생각하다, 추측하다, 가정하다
be supposed to ~하기로 되어 있다, ~할 의무가 있다
supposing 만일 ~이라면

0898 □□□ ·윅
weak 약한, 연약한
weakness 약점
weakened 약화된, 손상된
weakly 약한, 약하게, 묽게
weaken 약화시키다, 약해지다

0899 □□□ ·우ㄷ
wood 나무, 목재, 숲(woods)
wooden 나무의, 나무로 된
woodland 삼림지, 삼림 지대
woodpecker 딱따구리
wooded 수목이 우거진, 삼림이 많은
woodwind 목관 악기

0900 □□□ ·칸스턴ㅌ
constant 끊임없는, 일정한, 불변의
constantly 끊임없이, 자주

0901 □□□ 데·케이ㄷ
decade 10년간, 10개 한 묶음
for decades 수십 년간

0902 □□□ ·다이엍
diet 식습관, 식사, 식이 요법

0903 □□□ ·디·스팅크ㅌ
distinct 뚜렷한, 분명한, 별개의
distinction 뚜렷한 차이, 뛰어남, 구분
distinctive 독특한, 특유의

0904 □□□ 디·'바이ㄷ
divide 나누다, 나뉘다, 분리하다, 격리하다
division 분할, 분배, 부서
divide into ~로 나누다

0905 □□□ ·하·스피틀
hospital 병원
hospice 말기 환자용 병원
hospitality 환대
hospitable 대접이 좋은, 친절한
inhospitable 불친절한, 황폐한

0906 **investigation** 조사, 수사
·인·'베스티·게이션

investigate 조사하다, 수사하다
investigator 수사관

0907 **note** 메모(하다), 쪽지, 주의(하다)
노우ㅌ

notebook 노트북, 공책
notable 주목할 만한, 뛰어난, 유명한
noteworthy 주목할 만한
notepad 메모장

0908 **notice** 주의하다, 알아채다, 통지, 경고
·노우티ㅅ

notify 통보하다, 알리다
noticeable 눈에 띄는, 분명한
noticeably 두드러지게, 현저히
notification 통지, 공고, 통지서

0909 **perfect** 완벽한, 완전하게 하다
퍼-·'펙ㅌ

perfectly 완벽하게
perfection 완벽(함), 완성

0910 **refer** 참조하다, 언급하다, ~의 탓으로 하다
뤼·'퍼-

reference 참조, 언급, 관련, 문의

0911 **sight** 시력, 시야
싸이ㅌ

insight 통찰력, 식견
eyesight 시력, 시야
insightful 통찰력 있는
foresight 통찰력, 선견지명

0912 **violence** 폭력, 격렬함
·'바이얼런ㅅ

violent 격렬한, 난폭한
violently 격렬히, 세차게

0913 **authority** 권한, 권력, 권위
어·Θ워뤄티

authorities 당국, 공공기관
authorized 권한 받은, 공인된, 인정받은
authorize 재가[인가]하다, 권한을 부여하다

0914 **breathe** 숨쉬다, 호흡하다
·브뤼Ð

breath 숨, 입김, 호흡, 조금
breathtaking 숨이 막히는, 깜짝 놀라게 하는

0915 □□□ ·클라임

climb 오르다, 등반(하다), 넘다

0916 □□□ 컨·덕ㅌ

conduct 행동(하다), 지도(하다), 수행(하다), 전도하다

0917 □□□ 커플

couple 한 쌍의, 부부

a couple of 둘의, 두서너 개의, 몇몇의

0918 □□□ ·디·스커ㅅ

discuss 토론하다, 논의하다

discussion 토론, 논의

0919 □□□ ·킹

king 왕, 거물, 최상품

kingdom 왕국, 영역, 계

0920 □□□ ·레터-

letter 편지, 글자

letter-box 우편함

capital letter 대문자

small letter 소문자

0921 □□□ ·압'비어ㅅ

obvious 분명한

obviously 분명히, 당연히, 명백히

0922 □□□ ·오-디네뤼

ordinary 일상적인, 보통의, 평범한

extraordinary 기이한, 이상한, 특별한, 임시의

extraordinarily 비범하게, 유달리, 엄청나게

ordinarily 보통은, 일반적으로

0923 □□□ ·파ㅋ

park 공원, 주차하다

parking 주차(장)

parking lot 주차장

0924 □□□ 프러·잭ㅌ

project 계획(하다), 사업, 과제, 발사하다

0925 □□□ 씨·'비어

severe 엄격한, 심각한

perseverance 인내

severely 심하게, 엄격하게

severity 엄격, 격렬함, 심각성

persevere 인내하다, 견디다, 고집하다

0926 □□□ ·쉽
ship 선박(으로 수송하다), 배, 우주선

shipping 선적, 수송, 해운(업)
ship to ~으로 발송하다
shipment 선적, 수송(품), 발송
shipwreck 난파(선)

0927 □□□ ·싱글
single 단 하나의, 한 개의, 혼자의

single mother 미혼모, 편모
singular 유일한, 각각의, 유례없는, 뛰어난, 단수의
singularity 특이성

0928 □□□ 슬·레이'ㅂ
slave 노예(의)

slavery 노예 제도

0929 □□□ ·웰θ
wealth 부, 재산, 풍족함

wealthy 부유한, 풍부한

0930 □□□ 어·낼러시ㅅ
analysis 분석, 해석

analyze 분해하다, 분석하다
analyst 분석가
analyse 분해하다, 분석하다

0931 □□□ ·밸런ㅅ
balance 균형, 평균, 잔액, 저울, 균형을 유지하다

balanced 균형 잡힌, 안정된

0932 □□□ ·브뤄ㄷ
broad 넓은, 광범위한

abroad 해외로[에], 널리
broadly 대체로, 확실히, 폭넓게

0933 □□□ ·크롸ㅍ
crop 농작물

crop yield 곡물 수확량, 산출량

0934 □□□ ·크롸이
cry 울다, 비명, 외치다

crying 울음소리, 울부짖는, 긴급한

0935 □□□ 디·'바이ㅅ
device 장치, 기구

devise 고안하다, 창안하다

0936 □□□ ·엘리먼ㅌ
element 요소, 원소

elementary 초보의, 초등의, 기본적인

0937 □□□ 패션
fashion 패션, 유행, 관습
fashionable 유행하는, 유행의, 상류층의
old-fashioned 구식의, 보수적인
fashionably 유행에 따라, 멋지게

0938 □□□ ·글래ㅅ
glass 유리, 한 잔
glasses 안경
a glass of 한 잔의
glasshouse 온실

0939 □□□ 헌ㅌ
hunt 사냥(하다), 추적하다, 찾다
hunter 사냥꾼
hunt for ~을 사냥하다

0940 □□□ ·임·플라이
imply 암시하다, 함축하다
implied 함축된, 암시적인
implication 함축, 암시, 연루
implicit 암시된, 내포된, 함축적인
implicate 연루시키다

0941 □□□ ·이노'베이션
innovation 혁신
innovative 혁신적인
innovate 혁신하다, 쇄신하다
innovator 혁신가
renovation 혁신
renovate 개조하다, 보수하다

0942 □□□ ·아이템
item 항목, 물건, 사항

0943 □□□ ·미θ
myth 신화, 미신
mythology 신화(학)
mythical 신화적인, 상상의

0944 □□□ ·너-버ㅅ
nervous 불안한, 신경질의, 신경의
nerve 신경, 용기, 긴장, 우울
nervously 초조히, 긴장하여

0945 □□□ ·오우션
ocean 바다, 해양
oceanic 대양의, 바다의

0946 □□□ ·스킨
skin 피부, 가죽

0947 □□□ ·스피취
speech 연설, 말하기, 말투
speechless 말을 못하는, 말문이 막힌, 무언의

0948 □□□ ·택ㅅ
tax 세금(을 부과하다), 과세하다
taxpayer 납세자

0949 □□□ 투·머·뤄우
tomorrow 내일
by tomorrow 내일까지

0950 □□□ ·'바이타민
vitamin 비타민
vital 필수적인, 생명의, 중대한

0951 □□□ 앵·자이어티
anxiety 걱정, 근심, 불안
anxious 걱정하는, 열망하는
anguish 괴로움, 비통
be anxious to do ~하기를 갈망하다

0952 □□□ ·취ㅍ
cheap 저렴한
cheaply 싸게, 쉽게

0953 □□□ ·칸'플릭ㅌ
conflict 갈등, 충돌(하다), 상충(하다)
conflict with 모순되다, 충돌하다

0954 □□□ ·풔뤠스ㅌ
forest 숲, 산림
deforestation 살림 벌채

0955 □□□ ·'프뤼퀀틀리
frequently 자주, 빈번히
frequency 빈도, 빈번, 주파(수)
frequent 잦은, 빈번한, 단골의, 자주 가다

0956 □□□ ·그롸인ㄷ
grind 빻다, 갈다, 연마하다 < grind - ground - ground >
grinder 가는[빻는] 기구

0957 □□□ ·링ㅋ
link 관련, 연결, 고리

0958 □□□ 마일
mile 마일 *약 1.6km 거리
mile from ~마일 떨어진 | milestone 이정표, 획기적인 사건

0959 □□□ 어·피니언
opinion 의견, 여론, 관점

0960 □□□ 프리·'퍼-
prefer ~을 더 좋아하다, 선호하다
preference 선호, 좋아하는 것

0961 □□□ ·뤠커·멘ㄷ
recommend 추천하다, 권하다
recommendation 추천, 권고, 충고 | commend 칭찬하다, 추천하다
commendation 추천, 칭찬

0962 □□□ 어·메이ㅈ
amaze 놀라게 하다, 놀라다
amazing 놀라운, 굉장한 | be amazed at ~에 놀라다
amazingly 놀랍게도, 굉장하게

0963 □□□ ·앵거-
anger 화(내다), 화나게 하다
angry 화난

0964 □□□ 어·스트롸너머-
astronomer 천문학자
astronaut 우주 비행사
astronomy 천문학

0965 □□□ ·백
bag 가방, 자루, 봉지
luggage 수하물, 짐, 여행가방
baggage 수하물
handbag 핸드백

0966 □□□ 코우ㄷ
code 암호, 부호, 규범, 법전
decode 암호를 풀다, 해독하다 | zip code 우편 번호
encode 암호화하다

0967 □□□ ·다-ㅋ
dark 어둠, 암흑
darkness 어둠, 암흑, 무지
darken 어둡게 하다, 어두워지다

0968 □□□ 디·'붜ㅅ
diverse 다양한, 여러 가지의
diversity 다양성, 변화

0969 □□□ 일렉·트뤼씨티
electricity 전기, 전력
electric 전기의
electrical 전기의

0970 □□□ 풔·겥
forget 잊다 < forget - forgot - forgot, forgotten >
forgotten 잊어버린, 망각된
forgetful 잘 잊는, 잊어버리는

0971 □□□ ·가이ㄷ
guide 안내하다, 지도하다, 안내서, 가이드
guidance 지도, 안내
guideline 지침(기준), 안내선

0972 □□□ ·일
ill 병든, 나쁜, 나쁘게
illness (질)병, 질환

0973 □□□ ·이메즤
image 그림, (모양) 상, 심상
imagery (형)상, 심상

0974 □□□ ·인디케이ㅌ
indicate 나타내다, 보여주다, 가리키다
indication 나타냄, 지표, 징조
indicator 지표, 계기(장치)

0975 □□□ ·인스터·투션
institution 협회, 학회, (공공)시설, 제도
institute 설립하다, 연구소, (교육)기관, 협회

0976 □□□ ·매ㅅ
mass 덩어리, 대중(의), 대량(의), 크기
massive 거대한, 덩어리의, 대량의

0977 □□□ ·피ㅅ
piece 조각, 부분
a piece of ~의 부분
a piece of cake 식은 죽 먹기

0978 □□□ 프린씨플
principle 원리, 원칙

0979 □□□ ·퍼니싀먼ㅌ
punishment 형벌, 징벌
punish 벌하다, 처벌하다

0980 □□□ ·뤼·플레이ㅅ
replace 교체하다, 대신하다
replacement 대체, 교체, 반환

0981 □□□ 롸울
roll 두루마리, 말다

scroll 두루마리, 스크롤(하다)
roller 롤러, 굴림대
enroll 등록하다, 입학시키다
enrollment 등록, 입학, 입대
roll up 걷어 올리다, 말아 올리다

0982 □□□ ·씨크릳
secret 비밀(의), 숨겨진

secretary 비서, 장관
secretive 비밀스러운
secretly 비밀스럽게, 몰래

0983 □□□ ·스트래테즤-
strategy 전략, 전술

strategic 전략적인, 전략의

0984 □□□ 베·케이션
vacation 휴가, 방학

vacancy 빈자리[방], 공허, 공백

0985 □□□ 윈ㄷ (바람) 와인ㄷ (~을 감다)
wind 바람, 풍력, ~을 감다

wound 상처, 부상, *wind의 과거(분사)
windmill 풍차, 풍력 발전소
windstorm 폭풍

0986 □□□ ·캠ㅍ
camp 야영지, 주둔지, 천막

campus 대학 교정(의), 분교, 학원(의)
camping 야영
campsite 야영지, 캠프장

0987 □□□ ·캐피틀
capital 수도, 자본(금), 자본의, 주요한, 대문자의

capitalism 자본주의
capitalist 자본주의자, 자본가

0988 □□□ ·컬-
curl 곱슬곱슬하다[하게 만들다], 둥글게 감다

0989 □□□ ·데저ㅌ
desert 사막, 버리다, 유기하다

0990 □□□ ·드롸이
dry 마른, 건조한

drier 건조기, 건조제

0991 □□□ ·햍
hat 모자

0992 □□□ ·레ㄱ
leg 다리, 받침대
short-legged 다리가 짧은
one-legged 외다리의, 일방적인
leggings 레깅스 *몸에 딱 붙는 바지

0993 □□□ ·온라인
online [컴퓨터] 온라인의, 인터넷상의
offline [컴퓨터] 오프라인의, 인터넷이 아닌 현실에서

0994 □□□ 퍼-·햎ㅅ
perhaps 아마도, 어쩌면

0995 □□□ 필·라서'피
philosophy 철학
philosopher 철학자

0996 □□□ 플라스틱
plastic 플라스틱, 비닐의

0997 □□□ ·포우이트뤼
poetry 시
poet 시인
poem 시
poetic 시의, 시적인

0998 □□□ ·센턴ㅅ
sentence 문장, 판결(하다)

0999 □□□ ·스윔
swim 수영하다, 헤엄치다 < swim - swam - swum >
swimmer 수영하는 사람, 수영 선수
swimming 수영(용의)

1000 □□□ ·심프텀
symptom 징후, 전조, 증상
syndrome 증후군, 증상

1001 □□□ ·θ익
thick 두꺼운, 굵은, 빽빽한, 짙은, 자욱한
thin 얇은, 가느다란, 마른
thickness 두께, 굵기, 농도
thinner 더 얇은, 희석제, 얇게 하는 것

1002 □□□ ·트뤄블
trouble 분쟁, 말썽, 어려움
troublesome 문제를 유발하는, 골칫거리인, 힘든
troublemaker 문제아, 골칫거리

1003 □□□ 보우ㅌ
vote 투표(하다)
voter 투표자, 유권자

1004 □□□ ·블루
blue 파란색, 우울한
blues [음악] 블루스
blueprint 청사진, 계획
blue-chip 우량주, 일류의
blue-collar 육체노동자의

1005 □□□ ·카ㄷ
card 카드, 패, 명함, 엽서
discard 버리다

1006 □□□ ·칸'피던ㅅ
confidence 신뢰, 자신(감)
confident 확신하는, 자신만만한
self-confidence 자신(감)
confide 믿다, 신뢰하다
confidential 비밀스런, 은밀한, 기밀의

1007 □□□ ·댄ㅅ
dance 춤(추다)
dancer 춤을 추는 사람, 무용수

1008 □□□ 드롸마
drama 드라마, 희곡, 연극
dramatically 극적으로
dramatic 극적인, 극적인
dramatist 극작가

1009 □□□ ·엔터
enter 시작하다, 들어가다
entrance 입구, 입장
enter into ~에 참여하다, ~에 이입하다, ~에 입력하다
entry 입장, 가입, 기입, 참가자
entree 입장(권)

1010 □□□ 퍼·씰리티
facility 시설, 설비(facilities), 재능, 쉬움
facilitate 용이하게 하다, 촉진하다

1011 □□□ ·'페어
fair 공정한[하게], 박람회, 상당한, 맑은
fairly 공정하게, 꽤
unfair 불공평한, 부당한

1012 □□□ 파운·데이션
foundation 창립, 근거, 토대
found 발견된, 기초를 세우다, 설립하다, 주조하다
founder 창설자, 설립자, 주조공

1013 □□□ ·개Ð어
gather 모으다, 수집하다, 모여들다
gathering 모임, 군중, 수집품

1014 □□□ ·게뤈·티
guarantee 보장하다, 약속하다
warrant 보증(하다), 영장, 정당한 이유, 근거
warranty 보증(서), 담보
guaranty 보증, 보증 계약

1015 □□□ ·임·포어ㅌ
import 수입(하다), 내포하다, 의미하다, 수입품(imports)

export (수출)하다
exportation 수출
importer 수입자, 수입국

1016 □□□ ·리스ㅌ
list 목록, 명단

1017 □□□ ·머·슬
muscle 근육

1018 □□□ 퍼~·스웨이ㄷ
persuade 설득하다, 납득시키다

persuasive 설득력 있는
persuasion 설득, 신념

1019 □□□ ·'베즤터블
vegetable 채소, 식물의

vegetarian 채식주의자(의), 초식 동물
vegetation 식물(의 성장), 초목

1020 □□□ ·와인
wine 포도주

vine 포도나무, 덩굴
vinegar 식초

1021 □□□ ·애큐레이ㅌ
accurate 정확한, 정밀한

accurately 정확하게, 정밀하게
accuracy 정확(성), 정밀도

1022 □□□ ·베ㄷ
bed 침대

bedroom 침실
bedding 침구, 잠자리, 깔개

1023 □□□ 비·언ㄷ
beyond 저편에, ~을 넘어, ~이상으로

1024 □□□ ·캄바인
combine 결합시키다, 통합시키다

combination 결합, 연합, 배합

1025 □□□ ·'프이니싀
finish 끝내다

be finished with ~을 끝내다

1026 □□□ ·갇
god 하느님, 신
goddess 여신

1027 □□□ 마스터
master 숙련자, 주인, 숙달하다
masterpiece 걸작, 명작

1028 □□□ ·모어-닝
morning 아침, 오전
mornings 아침마다

1029 □□□ 포토
photo 사진
photograph 사진(을 찍다)
photographer 사진가

1030 □□□ ·픽
pick 고르다, 뽑다, 따다, 선택(권)
pick on 괴롭히다, 비난하다, 혹평하다
pick up 집어 올리다, 차에 태우다, 향상하다, 고르다

1031 □□□ 뤼·'플렉ㅌ
reflect 반사하다, 반영하다, 숙고하다
reflection 반영, 반사, 숙고
reflective 반사하는, 숙고하는, 사려 깊은
reflex 반사(시키다), 반사적인, 반사된

1032 □□□ ·스탁
stock 주식, 저장, 재고, 가축
livestock 가축

1033 □□□ 써든리
suddenly 갑자기
sudden 갑작스러운

1034 □□□ 타이어
tire 피곤하게 하다, 지치다, 싫증나다, 타이어
tired 피곤한, 지친
tiredness 피곤함, 지침
be tired of ~에 질리다

1035 □□□ ·'붜블
verbal 말의, 말로 나타낸
proverb 속담, 격언
verb 동사

1036 □□□ 어·프롸프뤼에이ㅌ
appropriate 적절한, 전용하다, 충당하다
inappropriate 부적절한
appropriately 적당하게, 알맞게

1037 □□□ ·애Θ·올리ㅌ

athlete 운동선수

athletic 운동 경기의, 선수의
athletics 운동경기

1038 □□□ ·브롸잍

bright 밝은, 능통한

brightness 빛남, 똑똑함
brighten 빛나게 하다, 빛내다

1039 □□□ ·캠어-러

camera 카메라

camcorder 캠코더
cameraman 촬영기사

1040 □□□ ·칸셔ㅅ

conscious 의식하는, 자각하는

consciousness 의식, 자각
consciously 의식적으로, 의식하여
unconscious 의식을 잃은, 모르는
be conscious of ~을 자각하다

1041 □□□ ·코어ㅌ

court 법정, 경기장

Supreme Court 대법원, 연방법원

1042 □□□ ·에Θ클

ethical 윤리적인, 도덕적인

ethic 윤리
ethics 윤리(학)
etiquette 에티켓, 예절
ethically 윤리적으로

1043 □□□ ·'플라우어

flower 꽃(피우다)

1044 □□□ 이그·노-어

ignore 무시하다

ignorance 무지, 무식
ignorant 무지한, 무식한, ~를 모르는(- of)

1045 □□□ ·인·텐ㅅ

intense 강렬한, 극심한

intensely 강하게, 열심히
intensity 강렬함, 집중
intensified 강화된, 증가된
intensive 강한, 집중적인

1046 □□□ 메틀
metal 금속(의), 금속으로 된

1047 □□□ ·미니스터-
minister 장관, 성직자, 봉사하다
ministry ~부(서), 장관(Ministry)

1048 □□□ 릴·랙ㅅ
relax 휴식을 취하다, 진정하다
relaxation 휴식, 활동 중단, 이완

1049 □□□ 릴·리'ㅂ
relieve 진정하다, 구제하다
relief 완화, 경감, 구조

1050 □□□ 뤠·지스턴ㅅ
resistance 저항, 반대
resist 저항하다, 반대하다
resistant 저항하는, 내성 있는, 저항자

1051 □□□ 뤼·스펙ㅌ
respect 존경(하다), 존중(하다)
respectful 존중하는, 공손한

1052 □□□ 뤼·'빌
reveal 폭로하다, 드러내다

1053 □□□ 씨리ㅈ
series 연속, 시리즈
serial 연속적인, 연재물

1054 □□□ ·슈ㅌ
shoot 사격하다, 촬영하다 < shoot - shot - shot >
shot 사격(된), 촬영하다, 슛하다

1055 □□□ ·스마일
smile 웃다, 미소 짓다

1056 □□□ ·스프륑
spring 봄, 용수철, 탄력, 태엽, 튀어 오르다 < spring - sprang - sprung >
springtime 봄(철), 청춘

1057 □□□ 서·스펙ㅌ
suspect 의심하다, 추측하다, 용의자
suspicion 혐의, 의심
suspicious 의심 많은, 의심스러운

1058 □□□ ·θ롸우
throw 던지다, 버리다 < throw - threw - thrown >
thrown 꼰, 꼬인
throw away 버리다, 허비하다

1059 ·트랙
track 자취, 흔적, 추적하다, 궤도
tracker 추적자

1060 비·하인ㄷ
behind ~의 뒤에, (발달, 진도가) 뒤떨어져, 과거에
hind 뒤쪽의

1061 커·머-셜
commercial 상업의, 상업적인, 영리적인
commercials 광고
commodity 상품, 필수품
commerce 무역, 상업

1062 컨·'펆
confirm 확인하다, 확정하다
confirmation 확인, 확정
unconfirmed 확인되지 않은, 확증이 없는

1063 디'파인
define 정의하다, 한정하다
definition 정의, 말뜻, 한정, 명확

1064 ·'프뤠싀
fresh 신선한, 상쾌한
refresh 상쾌하게 하다, 새롭게 하다
refreshing 상쾌한, 재충전한, 새로워진
freshman 신입생, 1학년
freshwater 민물의

1065 ·'펀더·멘틀
fundamental 기본적인, 본질적인, 핵심적인
fundamentally 근본적으로, 본래

1066 그뤠메티클리
grammatically 문법적으로, 문법에 맞게
grammar 문법
grammatical 문법의, 문법적인

1067 ·인·디ㄷ
indeed 정말로, 참으로, 과연, "정말?"
deed 행위, 업적
in (very) deed 진정, 실제로

1068 ·인·스파이어
inspire 영감을 주다, 고무하다
inspiration 영감, 자극, 격려
inspiring 영감을 주는, 고무하는

1069 □□□ ·인티그뤠이ㅌ
integrate 통합하다[시키다], 완성하다
integrity 진실성, 청렴성, 고결함
integration 통합
integral 필수적인, 핵심의, 완전한
integrated 통합된, 완전한, 합성된
disintegrate 분해[붕괴]시키다

1070 □□□ ·네이버·후ㄷ
neighborhood 이웃(사람들), 근처, 동네
neighbor 이웃(의)

1071 □□□ ·프뤼'비어슬리
previously 이전에, 미리
previous 이전의, 먼저의

1072 □□□ ·셒어뤠ㅌ
separate 분리하다[되다], 떼어놓다, 개별적인
separately 따로따로, 갈라져
separate A from B A를 B에서 분리하다

1073 □□□ 샼
shark 상어

1074 □□□ ·스마-ㅌ
smart 영리한, 현명한, 고통, 따갑다

1075 □□□ ·스트뤠인지
strange 이상한, 익숙하지 않은
stranger 낯선 사람, 이방인
strangely 이상하게

1076 □□□ 틴
teen 10대의, 청소년
teenager 청소년, 10대
teenage 10대의

1077 □□□ ·툴
tool 도구, 연장, 수단

1078 □□□ ·터칰
touch 만지다, 연락하다, 감동시키다
in touch with ~와 접촉[연락]하여
touching 감동시키는, 접촉한

1079 □□□ ·트뤤스퍼-·테이션
transportation 교통, 운송
transport 수송(하다) 교통, 운송

1080 □□□ ·얼티메이ㅌ
ultimate 최후의, 최고의, 궁극의
ultimately 결국, 최후로
ultimatum 최후통첩, 종언

1081 □□□ 어·닾ㅌ **adopt** 채택하다, 채용하다, 입양하다

adoption 채택, 입양

early adopter 얼리아답터 *신제품을 빨리 써보는 사람

1082 □□□ 어·그뤠시'ㅂ **aggressive** 공격적인, 적극적인

1083 □□□ 어·텐ㄷ **attend** 참석하다, 주의를 기울이다

attendance 출석, 참석

attendant 종업원, 수행원, 간병인, 시중드는

1084 □□□ ·애티투ㄷ **attitude** 태도, 사고방식, 자세

1085 □□□ ·빝 **beat** 이기다, 때리다 < beat - beat - beat, beaten >

beaten 얻어 맞은, 패배한

beating 때림, 패배, 맥박

beat around the bush 에둘러 말하다, 요점을 피하다

1086 □□□ ·빌리언 **billion** 10억, 수십억(billions)

billionaire 억만장자

1087 □□□ ·칸슨·트뤠이ㅌ **concentrate** 집중하다(시키다), 응축하다

concentrate on ~에 집중하다

concentration 집중, 농도, 농축

1088 □□□ 컨·'퓨ㅈ **confuse** 혼란시키다, 혼동하다, 당황하게 하다

confusion 혼동, 혼란

confusing 혼란시키는

1089 □□□ ·어-은 **earn** (돈)벌다, 획득하다

earnings 소득, 수입, 획득

earning 획득, 돈 벌기, 소득(earnings)

earner 소득자, 얻은 사람

1090 □□□ ·엠'퍼·싸이ㅈ **emphasize** 강조하다

emphasis 강조, 중요

emphasise (=emphasize) 강조하다

1091 □□□ 익·싸잍 **excite** 흥분시키다, 자극하다, 일깨우다

excited 흥분한, 자극된

exciting 신나는, 흥분시키는

1092 □□□ ·'플라이ㅌ
flight 비행, 항공편

1093 □□□ ·러키
lucky 운이 좋은, 행운의, 다행인, 우연한
luck 운, 행복
luckily 운 좋게, 다행히도
unlucky 불운한, 불길한

1094 □□□ ·마-ㅋ
mark 표시(하다), 점수
marking 무늬, 채점
benchmark 기준(으로 삼다), [컴퓨터] 성능 비교

1095 □□□ 뮤·지엄
museum 박물관, 미술관

1096 □□□ ·앜서젼
oxygen 산소
dioxide [화학] 이산화물

1097 □□□ 포우스ㅌ
post 기둥, 게시하다, 우편, ~이후에, (군)주둔지
postal 우편의
postal service 우체국, 우편 업무
postcode 우편 번호

1098 □□□ ·샼
shock 충격, 놀라게 하다
shocking 충격적인, 놀라운

1099 □□□ ·스노우
snow 눈, 눈이 내리다
snowfall 강설(량)
snowstorm 눈보라
snowy 눈에 덮인, 눈이 많은, 순백의

1100 □□□ ·트륖
trip 여행
take a trip 여행하다

1101 □□□ ·애·드뤠ㅅ
address 주소(를 쓰다), 연설(하다), 말을 걸다

1102 □□□ ·캄프뤼·헨시'ㅂ
comprehensive 포괄적인, 종합적인, 이해력이 있는
comprehension 이해력, 포함
comprehend 이해하다, 포함하다
comprise 구성하다, 포함하다, 의미하다

1103 □□□ 컨·템퍼뤠뤼
contemporary 동시대의, 현대의, 현대인들(contemporaries)
temporary 일시적인, 임시의, 비정규직
tempo 박자, 빠르기

1104 □□□ 디지틀
digital 디지털식의, 숫자의
digit 숫자, 자릿수, 손가락

1105 □□□ ·드뤠ㅅ
dress 옷을 입다, 드레스
dressing 요리에 끼얹는 소스, 붕대, 옷 입기
dress up 차려입다, ~을 꾸미다

1106 □□□ 엔·게이쥐
engage (주의를) 끌다, 사로잡다, 고용하다
engaging 매력적인
be engaged in ~에 종사하다, ~하느라 바쁘다
engagement 약혼, 약속, 교전

1107 □□□ ·인터·뷰
interview 인터뷰, 면접
interviewer 면접관, 인터뷰 진행자

1108 □□□ ·미터-
meter 미터 *길이의 단위 100cm, 계량기
kilometer 킬로미터 (km)
centimeter 센티미터 (cm)
nanometer 나노미터 (nm) *10억분의 1미터

1109 □□□ ·포울러
polar 극지방의, 북[남]극의, 정반대의
pole 극(지), 막대기
Polaris [천문] 북극성

1110 □□□ ·프롸·그뤠ㅅ
progress 전진(하다), 진보(하다), 진행(되다)
progressive 진보적인, 전진하는, 진보주의(자)
progression 진행, 발달

1111 □□□ 루ㅌ
root 뿌리, 원인

1112 □□□ ·씨즌
season 계절
seasonal 계절적인, 기간의, ~철의
seasoned 양념한, 길든, 노련한
seasoning 조미료, 양념(하기), 간을 맞춤

1113 □□□ ·썬
son 아들, 자손
grandson 손자

1114 □□□ ·어-번
urban 도시의, 세련된
suburban 교외의, 교외 거주자

1115 □□□ ·어-젼ㅌ
urgent 긴급한
urge 충고하다, 촉구하다, 몰아대다, 주장하다
urgency 긴급, 긴급상황

1116 □□□ ·에이ㄷ
aid 원조(하다), 돕다, 도움
aide 보좌관, 조수

1117 □□□ ·칸트뤄·'뷔셜
controversial 논쟁의, 논쟁의 여지가 있는, 논쟁적인
controversy 논쟁, 논란, 말다툼

1118 □□□ 컨·'벤셔널
conventional 전통적인, 틀에 박힌
convention 집회, 협정, 관습

1119 □□□ ·크롸이서ㅅ
crisis 위기, 중대 사태, 난국

1120 □□□ ·크롸ㅅ
cross 십자, 가로지르다
crossing 횡단(보도), 사거리, 도하 *강을 건넘
crossover 교차로, [음악] 여러 장르의 융합
crossroad 교차로, 사거리

1121 □□□ ·디너
dinner 저녁 식사
dine 식사를 하다, 만찬을 들다
dining 만찬, 정찬
diner (식당에서) 식사하는 사람

1122 □□□ 이·퀍먼ㅌ
equipment 장비, 설비, 비품
equip 장비를 갖추다, 설치하다

1123 □□□ 익·세시'ㅂ
excessive 지나친, 과도한
exceed 넘다, 초과하다
excess 지나침, 과도, 과잉

1124 □□□ ·'펀
fun 재미있는, 장난
funny 웃긴, 우스운, 재미있는

1125 □□□ ·가-든
garden 정원, 유원지(gardens)
gardener 정원사, 원예사

1126 □□□ ·이·뮨
immune 면역의, 면제된
immunity 면역, 면제, 면책

1127 □□□ ·인·씨스ㅌ
insist 강요하다, 고집하다, 우기다
insistent 완강한, 고집하는, 계속되는

1128 □□□ ·인·스트럭션
instruction 교육, 교훈, 지시, 설명
instruct 지시하다, 가르치다, 알려주다
instructor 강사, 교관, 교사
instructive 교육적인

1129 □□□ ·져-늘
journal 신문, 잡지, 일기, 일지
journalist 언론인
journalism 언론(계), 언론학, 신문 잡지류

1130 □□□ ·키ㄷ
kid 아이
kidnap 납치하다, 유괴하다

1131 □□□ ·리'ㅍ
leaf 잎
leafless 잎이 없는

1132 □□□ ·미어
mere 겨우 ~에 불과한
merely 단지, 그저

1133 □□□ ·미네럴
mineral 광물(의), 광석, 무기물
miner 광부, 채광기
undermine 약화시키다, 훼손시키다, ~의 밑을 파다, 침식하다
mine 광산, 채굴하다, 지뢰
mining 채굴, 광업

1134 □□□ ·팩
pack 꾸리다, 꾸러미, 포장하다
package 묶음, 포장, 소포
packaging 포장, 짐 꾸리기
backpack 배낭
unpack (짐을) 풀다

1135 □□□ ·플레인
plane 비행기, 평면, 대패로 밀다

1136 □□□ 프러·포어션
proportion 비율, 균형, 부분
portion 일부, 부분, 분할하다, 분배하다

1137 □□□ ·뤠'벌·루션
revolution 혁명
revolutionary 혁명적인

1138 □□□ 쎌·렉션
selection 선택, 선발
select 선택하다, 선발하다

1139 □□□ ·쉬우거-
sugar 설탕
sugary 달콤한, 설탕 같은
blood sugar 혈당

1140 □□□ ·트뢔'픽
traffic 교통
traffic jam 교통체증

1141 □□□ 트뤤ㄷ
trend 경향, 유행, ~의 방향으로 가다
trendy 유행의, 멋진, 세련된

1142 □□□ ·워-은
warn 경고하다, 주의하다
warning 경고의, 주의(를 주는), 경고하는
wary 조심성 있는

1143 □□□ ·와일ㄷ
wild 야생의, 거친, 사나운
wilderness 황야, 자연 보호 구역
wildlife 야생 동물
wildly 거칠게, 야생적으로

1144 □□□ 어·캐더미
academy 학원, 전문 학교, 협회
academic 학문의, 학업의, 학술적인

1145 □□□ 어·프뤼싀-에이ㅌ
appreciate 인정하다, 감사하다
appreciation 인정, 감상, 감사

1146 □□□ 어·워-ㄷ
award 상, 수여하다
award-winning 상을 받은

1147 □□□ ·클라우ㄷ
cloud 구름
cloudy 흐린, 구름 낀
on cloud nine 구름 탄 듯 행복한

1148 **ecosystem** 생태계
·이코우씨스텀
ecological 생태계의, 생태학의

1149 **escape** 달아나다, (탈출)하다
이·스케이ㅍ

1150 **factory** 공장
팩토리

1151 **forward** 앞으로, 전방에[의], 나아가는
·'풔워ㄷ
put forward 내세우다, 내다

1152 **fund** 기금, 자금
·'펀ㄷ

1153 **incident** 사건
·인씨던ㅌ
incidence 발생(률), 빈도, 사건
incidental 부수적인, 우연한

1154 **initial** 처음의, 머리글자
·이·니셜
initially 처음에, 시초에
initiate 시작하다, 착수시키다, 가입시키다

1155 **linguistic** 언어의
링·귀스틱

1156 **magnitude** 규모, 지진 규모, 크기
·매그너·투ㄷ
magnificent 아름다운, 웅장한

1157 **occupy** 차지하다, 거주하다, 종사하다
·아큐파이
occupation 직업, 점유, 거주, 임기
occupied 사용중인, 바쁜, 점령된

1158 **poverty** 가난, 결핍, 부족, 불모
·퐈버-티

1159 **propose** 제안하다, 청혼하다
프러·포우ㅈ
proposal 신청, 제안

1160 **pull** 당기다, 끌어당기다
·풀
pull out 빼다, 뽑다, 벗어나다, 철수하다
pull one's leg 놀리다, 장난치다

1161 □□□ ·뤼버-
river 강

1162 □□□ ·소어-ㅌ
sort 분류하다, 종류
sort out 선별하다, 분류하다

1163 □□□ ·스퐈ㅌ
spot 장소, 발견하다, 점, 얼룩
spotted 반점이 있는, 오점이 있는, 더럽혀진

1164 □□□ ·스테이션
station 정거장, 위치, [시설] ~서
static 정적인, 정전기의, 움직이지 않는

1165 □□□ ·스트뤵Θ
strength 힘, 세기
strengthen 강하게 하다, 강해지다

1166 □□□ ·'봘런·티어
volunteer 자원 봉사자, 자원자, 자발적으로 하다
voluntary 자발적인, 자진한

1167 □□□ ·월
wall 벽, 장애

1168 □□□ ·웹
web 거미줄, 인터넷 망
website 인터넷 웹사이트

1169 □□□ ·바-
bar 술집, 막대기, 방해(하다), 법정
bartender 술집 관리인, 바텐더

1170 □□□ 비ㅌ
bit 조금, 약간, 작은 조각

1171 □□□ ·보어-ㄷ
board 판자, 탑승하다, 위원회
aboard ~에 타고, 승선하여
on board 탑재된, 적재된

1172 □□□ 캠·페인
campaign 캠페인, 사회운동
campaigner 운동가, 활동가

1173 □□□ ·칸트뤠뤼
contrary 반대되는, 모순된
contrary to ~에 반해서
on the contrary 반면에, 오히려

1174 □□□ ·다미네이ㅌ

dominate 지배하다, 장악하다

dominant 우세한, 지배적인

dominance 지배, 우월

domination 지배, 통치, 우세

1175 □□□ 일·리미·네잍

eliminate 없애다, 제거하다

1176 □□□ 익·스플러-

explore 탐험하다, 조사하다, 탐사하다

exploration 탐사, 탐험

explorer 탐험가

1177 □□□ 프리ㅈ

freeze 얼리다, 결빙 < freeze - froze - frozen >

frozen 얼은, 동결된, 얼음으로 덮인

frigid 몹시 추운, 냉랭한

1178 □□□ ·인'팬ㅌ

infant 유아의, 초기의

infancy 유아기, 유년기, 초기

1179 □□□ ·밀리테뤼

military 군대의, 군용의, 육군의

1180 □□□ 뤼·핕

repeat 반복(하다)

repetition 반복

repeatedly 자꾸, 여러 차례

1181 □□□ ·뤠저던ㅌ

resident 거주민, 거주하는

residence 주소, 거주지, 소재

residential 주거의, 거주의

reside 거주하다, 존재하다

1182 □□□ ·스케쥴

schedule 예정표, 시간표

1183 □□□ ·씽

sing 노래하다 < sing - sang - sung >

song 노래

singer 가수, 노래하는 사람

singer-songwriter 가수 겸 작곡가, 싱어송라이터

unsung (노래로) 불리지 않은, 칭송받지 못한

1184 □□□ 티·Θ

teeth tooth의 복수, 이(빨)

tooth 이(빨)

toothbrush 칫솔

toothpaste 치약

toothpick 이쑤시개

1185 □□□ 넥스ㅌ

text 본문, 원문

textbook 교과서

1186 □□□ ·타이틀

title 제목, 칭호를 주다

entitle 자격[권한]를 주다

1187 □□□ ·트뤄스ㅌ

trust 신뢰, 신용, 믿음, 맡기다

trustworthy 신뢰할 수 있는, 믿을 수 있는

1188 □□□ ·'비디오우

video 비디오

videotape 비디오테이프

1189 □□□ 알·람

alarm 경보(기), 놀라게 하다

alarming 걱정스러운, 두려운

alarmingly 놀랄 만큼

1190 □□□ 어·씨스ㅌ

assist 돕다, 지원하다

assistant 조수, 보조 수단

assistance 도움, 원조

1191 □□□ 컴·펠

compel 강요하다, 매력적인, 압도적인, ~시키다

compelling 주목하게 하는, 설득적인, 강제적인

1192 □□□ ·카피

copy 복사하다, 사본

copyright 저작권, 판권

1193 □□□ 더·메스틱

domestic 국내의, 가정의

1194 □□□ 엔·'풔스먼ㅌ

enforcement (법률의) 시행, 집행

enforce 집행하다, 강요하다

1195 □□□ ·'필름

film 필름, 촬영하다, 영화

flimsy 얇은, 부실한, 조잡한, 얇은 종이

1196 □□□ ·'펌

firm 회사, 확고한

firmly 단단히, 확고하게

infirm 허약한, 무른

infirmary 진료시설, 양호실

law firm 법률 사무소

1197 □□□ ·'퓨얼
fuel 연료
biofuel 바이오 연료
fuelwood 장작, 땔 나무

1198 □□□ ·헤뤼티쥐
heritage 유산
inherit 상속받다, 유전하다
inherent 고유의, 내재된

1199 □□□ ·라쥐클
logical 논리적인
logic 논리(학)
logically 논리적으로
illogical 비논리적인, 불합리한

1200 □□□ ·럭셔뤼
luxury 사치(스러운), 사치품(의)
luxurious 사치스러운, 풍부한
luxuriant 무성한, 다산의, 풍부한

1201 □□□ ·믹ㅅ
mix 섞다, 섞이다, 혼합되다, 혼합하다
mixed 혼합한, 다양한, 섞인
mixture 혼합(물), 복합(물), 합성(물)
mixer 혼합기, 믹서기

1202 □□□ ·펱
pet 애완동물(의), 어루만지다

1203 □□□ 플래닡
planet 행성

1204 □□□ 프롸·이오뤼티
priority 우선(권), 우위
prior ~전의
prior to ~전에, 먼저

1205 □□□ ·뤠스·퉈란ㅌ
restaurant 레스토랑

1206 □□□ ·시스터
sister 자매(의), 언니, 누나

1207 □□□ 트뤤즈·밑
transmit 전송하다, 전하다, 전염시키다
transmission 전달, 전염, 전송

1208 □□□ ·윈도우
window 창문, 창가

1209 □□□ 어·헤ㄷ **ahead** 앞쪽에, 전방에, 앞당겨

ahead of ~앞에, ~보다 빨리

1210 □□□ 어·필 **appeal** 애원(하다), 간청(하다)

appealing 매력적인, 호소하는, 흥미로운

1211 □□□ 컨·써-버티'ㅂ **conservative** 보수적인, 전통적인

conserve 보존하다, 보호하다

conservation 보호, 보존, 관리

1212 □□□ ·칸스터·투션 **constitution** 헌법, 구성, 체격, 체질

constitute 구성하다, ~이 되다

1213 □□□ ·칸·트랙ㅌ **contract** 계약(하다), 수축하다

contractor 계약자, 도급업자

contraction 수축, 축소, 진통

1214 □□□ 디·테일 **detail** 세부(사항)

in detail 상세하게

1215 □□□ 디·텍ㅌ **detect** 발견하다, 감지하다

detector 탐지기

detective 형사, 수사관, 탐정

detection 발견, 간파, 탐지

undetected 발견되지 않은

1216 □□□ 엔·핸ㅅ **enhance** 향상하다, 개선시키다

enhancing 향상시키는

enhancement 강화, 향상

1217 □□□ ·개ㅅ **gas** 기체, 가솔린

gasoline 가솔린, 휘발유

1218 □□□ ·그뤠이ㄷ **grade** 등급, 성적, ~학년

upgrade 향상(시키다), 승격시키다, 개선하다

서수-grade (서수)등급

1219 □□□ ·길ㅌ **guilt** 유죄, 죄의식

guilty 유죄의, 죄책감이 드는

1220 ·행
hang 걸다, 매달다, 교수형에 처하다 < hang - hung - hung >
hanging 교수형, 매달음
hang on 꽉 붙잡다, 매달리다
hang up 전화를 끊다, 걸어 놓다, 중단하다

1221 ·매너
manner 방법, 풍습, 예절, 태도
mannered 격식을 차린
ill-mannered 예의 없는
well-mannered 예의 바른, 정중한

1222 머·륀
marine 바다의, 해병대원
marine life 해양 생물
submarine 잠수함, 해저의
the Marines 해병대

1223 ·모우바일
mobile 이동할 수 있는, 휴대전화
mobility 이동성, 운동성
immobile 움직이지 않는

1224 ·멀티플
multiple 다수의, 다양한, 복합적인
multi 다양한, 다수의
multiply 곱하다, 증가시키다
multitude 다수, 군중

1225 노이ㅈ
noise 소음
noisy 시끄러운, 떠들썩한

1226 ·프롸미ㅅ
promise 약속(하다), 가망

1227 ·푸싀
push 추진하다, 밀다, 압력을 가하다

1228 뤼·페어
repair 수리하다
imparied 손상된, 약화된, 장애가 있는

1229 뤼·퀘스ㅌ
request 요청(하다), 청구(하다), 부탁(하다)

1230 ·씰
seat 좌석(에 앉히다), 자리
seatbelt 안전벨트

1231 □□□ ·세틀
settle 해결하다, 정착하다, 진정시키다
settler 정착민, 이주자, 개척자
settlement 정착, 해결, 합의, 개척지
settle down 정착하다

1232 □□□ ·식
sick 아픈, 병든, 환자(용)의, 지겨운 (of)
sickness 질병

1233 □□□ ·스카이
sky 하늘
skydive 스카이다이빙 하다
skylight 천장 채광창
skyscraper 고층 건물, 마천루

1234 □□□ ·스피륕
spirit 정신, 영혼
spiritual 정신적인, 마음의, 영적인, 종교적인

1235 □□□ ·스테이블
stable 안정된, 마구간
unstable 불안정한, 변하기 쉬운
stability 안정(성), 확고
stabilize 안정시키다, 고정시키다

1236 □□□ ·윈터-
winter 겨울(의)
winter vacation 겨울 방학
Winter Games 동계올림픽

1237 □□□ ·이일ㄷ
yield 산출하다, 생산하다, 양보하다, 산출량, 수확량

1238 □□□ ·블락
block 사각형 물체, 건물 단지, 차단하다

1239 □□□ ·박ㅅ
box 상자

1240 □□□ ·브롸Ð어
brother 형제

1241 □□□ 컨·'빈ㅅ
convince 확신시키다, 설득하다

1242 □□□ ·카튼
cotton 목화, 면직물, 솜

1243 □□□ 딜·리버-

deliver 배달하다, 연설하다, 출산하다

delivery 배달, 출산, 분만

1244 □□□ 이그·제큐티'ㅂ

executive 경영진, 행정적인, 실행의

execute 실행하다, 처형하다

execution 실행, 처형, 사형

1245 □□□ ·'펄ㅅ

false 틀린, 허위의, 거짓의

fallacy 틀린 생각, 오류

1246 □□□ ·'페이ㅌ

fate 운명, 운

fatal 치명적인, 결정적인

fatality 사망자, 치사율, 참사

fateful 운명적인

1247 □□□ 페스티벌

festival 축제, 행사

festive 축제의, 즐거운

feast 연회, 축제, 마음껏 먹다

1248 □□□ ·'플렉서블

flexible 신축성 있는, 융통성 있는, 유연한

flexibility 탄력성, 유연성, 융통성

inflexible 융통성 없는, 신축성 없는

1249 □□□ 플루엔시

fluency 유창함, 능숙

fluent 유창한, 유동적인, 부드러운

1250 □□□ ·인·터-프맅

interpret 해석하다, 통역하다, 이해하다

interpretation 해석, 통역

misinterpretation 오해, 오역

interpreter 통역사 , 해석자

1251 □□□ ·아일렌ㄷ

island 섬

1252 □□□ 로우ㄷ

load 짐(싣다), 작업량

download [컴퓨터] 전송받다

unload 짐[승객]을 내리다

upload [컴퓨터] 전송하다

1253 □□□ ·밀ㅋ

milk 우유, 모유, 짜내다

milky 우윳빛의, 우유가 든

Milky Way 은하(계)

1254 □□□ ·미너마이ㅈ

minimize **최소화하다, 축소하다**

minimum 최소(한도), 최저
minimal 최소의, 최저의, 아주 작은
mini 작은, 소규모의, 짧은
miniature 축소형, 소형의, 세밀화

1255 □□□ 퍼·제ㅅ

possess **소유하다, 지니다**

possession 소유물, 재산, 영토

1256 □□□ ·프뤠이ㅈ

praise **칭찬(하다), 찬양(하다)**

praiseworthy 칭찬할 만한

1257 □□□ ·프뢈프ㅌ

prompt **즉석의, 신속한, 자극하다**

promptly 즉시, 재빨리

1258 □□□ 뤼·마-커블

remarkable **놀라운, 주목할 만한**

remark 발언(하다)
remarkably 놀랍게, 두드러지게

1259 □□□ 뤼·타이어

retire **은퇴하다, 퇴직하다**

retirement 은퇴, 퇴직

1260 □□□ 뤼·'붜ㅅ

reverse **뒤바꾸다, 정반대의, 되돌리다**

irreversible 되돌릴 수 없는
revert 되돌아가다, 복귀하다

1261 □□□ ·샌ㄷ

sand **모래**

sandstone [지질] 사암
sandy 모래의
sandbank 모래톱

1262 □□□ 스네이ㅋ

snake **뱀**

1263 □□□ ·소울리

solely **오로지, 단지, 단독으로**

solitary 혼자의
sole 유일한, 단독의, 밑창
solo 독창(곡), 독주(곡), 단독의, 단독으로
solitude 고독, 고립

1264 □□□ ·스트뤄글

struggle **분투(하다), 노력(하다)**

1265 □□□ 수ㅌ **suit** 정장, 어울리다, 알맞다, 소송

suitable 적당한, 어울리는
suitcase 여행 가방
be suited to/for ~에 적합하다
suite 한 벌, 호텔 특실

1266 □□□ θ이어터- **theater** 극장

theatre 극장 *theater의 영국식 표기

1267 □□□ ·'빌리지 **village** 마을

villa 별장, 주택

1268 □□□ 보이ㅅ **voice** 목소리, 음성, 의견

vocal 목소리의, 목소리를 내는

1269 □□□ 애드·'벤쳐 **adventure** 모험, 위험을 무릅쓰다

venture 모험, 위험을 무릅쓰고 하다

1270 □□□ 애드·'바이ㅅ **advice** 조언, 충고

1271 □□□ 어퍼인트먼ㅌ **appointment** 약속, 임명, 지명, 예약

appoint 임명하다, 지명하다, 정하다

1272 □□□ ·오토모우·빌 **automobile** 자동차

auto 자동차, 자동의

1273 □□□ ·애버뤼지 **average** 평균(의), 보통의

1274 □□□ ·비칰 **beach** 해변

1275 □□□ 디·베이ㅌ **debate** 토론(하다), 논쟁(하다)

1276 □□□ 디·스포우즐 **disposal** 처분, 처리, 배치

dispose 처리하다, 배치하다
disposable 일회용의, 사용 후 버릴 수 있는
dispose of ~을 처리하다

1277 □□□ ·디·스팅·귀쉬
distinguish 구별하다, 식별하다

1278 □□□ ·엠ㅍ티
empty 비어 있는, 공허한

1279 □□□ ·이'블
evil 악
devil 악마

1280 □□□ 그뤱
grab 움켜잡다, 사로잡다
grasp 꽉 잡다, 이해(하다), 붙잡음
grip 붙잡기(하다), 이해(하다), 손잡이

1281 □□□ ·그래ㅅ
grass 잔디, 풀
grassland 목초지, 초원
grasshopper 메뚜기
grassy 풀로 덮인

1282 □□□ ·호어-ㅅ
horse 말
mare [동물] 암말

1283 □□□ ·호우·텔
hotel 호텔

1284 □□□ ·허뤼케인
hurricane 허리케인 *대서양에서 발생하는 폭풍
tornado 토네이도 *미국 남부와 아프리카에서 발생하는 회오리 cyclone 사이클론 *인도양에서 발생하는 폭풍
typhoon 태풍 *태평양에서 발생하는 폭풍

1285 □□□ ·인터-'피어
interfere 간섭하다, 방해하다
interfere with 방해하다
interference 간섭, 참견

1286 □□□ 매·Θ·매티클
mathematical 수학적, 수학(상)의, 수리적인
math 수학 *mathematics의 줄임
mathematics 수학
arithmetic 산수, 계산

1287 □□□ 모티'ㅂ
motive 동기, 이유, 원동력이 되는
motivation 자극
motivate ~에게 동기를 주다, 자극하다

1288 □□□ ·네스ㅌ
nest 보금자리, 피난처, 둥지

1289 □□□ 뉴·트뤼셔ㅅ
nutritious 영양분이 많은
nutritional 영양(상)의
nutrition 영양분, 음식물
nutrient 영양분, 영양분

1290 □□□ ·프뤠데터-
predator 약탈자, 육식 동물

1291 □□□ ·트뤤스'풤
transform 변형시키다, 바꾸다, 변압하다
transformation 변형, 변화

1292 □□□ ·웨ㄷ
wed 결혼하다
wedding 결혼식

1293 □□□ 어·콰이어-
acquire 얻다, 습득하다
acquisition 습득(물)
acquirement 습득

1294 □□□ 어·'풔ㄷ
afford ~할 여유가 있다
affordable 감당할 수 있는, (가격이) 알맞은

1295 □□□ 어·셈블리
assembly 집회, 국회, 조립
assemble 모으다, 조립하다

1296 □□□ 백·티뤼어
bacteria 박테리아, 세균
bacterial 박테리아의, 세균의

1297 □□□ 코우스ㅌ
coast 해안
coastal 해안의
coastline 해안선

1298 □□□ 컨·'비니언ㅅ
convenience 편의, 편리(한 것)
convenient 편리한, 가까운
inconvenience 불편
inconvenient 불편한

1299 □□□ ·'피쳐-
feature 특징, 특성, 이목구비

1300 ·기'프ㅌ
gift 선물, 재능, 증정하다
gifted 재능이 있는, 타고난

1301 ·허-ㅌ
hurt 다치게 하다 < hurt - hurt - hurt >
hurtful 마음을 상하게 하는

1302 ·인·'바잍
invite 초대하다, 초청하다
invitation 초대(장)

1303 ·졈ㅍ
jump 뛰다, 증가하다
jump on ~에 뛰어들다, ~위에서 뛰다

1304 ·리버티
liberty 자유, 해방
liberal 자유주의의, 진보주의의, 관대한, 자유로운
liberalism 자유주의, 진보주의

1305 ·매거진
magazine 잡지

1306 ·모우션
motion 동작, 몸짓

1307 퍼-·밑
permit 허락하다, 가능하게 하다, 허가증
permission 허가(증), 면허, 승인, 동의

1308 ·뤤ㅌ
rent 빌리다, 임대하다, 임대(료)
rental 임대의, 임대료

1309 ·륑
ring 반지, 고리, (종, 전화)울리다 < ring - rang, ringed - rung, ringed >
ringing (종, 전화) 울리는, 울림

1310 ·새ㄷ
sad 슬픈
sadly 슬프게, 애처롭게, 슬프게도
sadness 슬픔

1311 ·쎌'프
self 자신(의), 자신에게
selfish 이기적인
unselfish 이타적인

1312 ·씨니어
senior 상위의, 고등의, 연장자, 대학교 4학년

1313 □□□ ·스멜
smell 냄새 (나다) < smell - smelled, smelt - smelled, smelt >

1314 □□□ ·스태'프
staff 직원

1315 □□□ ·스토운
stone 돌
stony 돌로 뒤덮인

1316 □□□ ·스토엄
storm 폭풍, 격노하다
stormy 폭풍우의

1317 □□□ ·스트뤠이ㅌ
straight 곧은, 일직선의, 똑바로 선, 솔직한

1318 □□□ 서-·'베이
survey 조사(하다), 측량(하다), 설문조사
surveillance 감시

1319 □□□ ·타잍
tight 꽉 끼는, 엄격한, 심한
tightly 단단히, 꽉

1320 □□□ ·웨이ㅋ
wake 깨(우)다 < wake - woke - woken >
awake 깨(우)다, 깨닫다, 깨어있는 < awake - awoke - awoken >
wake up (잠자다) 깨다, 깨우다, 정신 차리다

1321 □□□ ·애스펙ㅌ
aspect 관점, 양상, 측면, 외관

1322 □□□ ·벌
ball 공(모양 물건), 무도회
balloon 풍선, 열기구

1323 □□□ ·바·롸우
borrow 빌리다, 차용하다

1324 □□□ ·칸텍스ㅌ
context 맥락, 상황

1325 □□□ ·쿡
cook 요리하다, 요리사

1326 □□□ ·에뤄-
error 실수

1327 □□□ ·'풔머-
former 이전의, 전자의
formerly 이전에, 먼저, 옛날에

1328 □□□ 건
gun 총
handgun 권총

1329 □□□ ·헤미스·'피어
hemisphere 반구 *반으로 자른 구체
sphere 구체 *공 모양, 범위, 영역

1330 □□□ ·아네스ㅌ
honest 정직한
honesty 정직, 성실
dishonest 정직하지 못한
dishonesty 부정직, 불성실

1331 □□□ ·이구아나
iguana [동물] 이구아나

1332 □□□ ·인·'플레이션
inflation 인플레이션, 통화 팽창, (물가) 폭등
inflate 부풀게 하다, 팽창하다

1333 □□□ ·인썸니아
insomnia 불면증

1334 □□□ ·인·터-늘
internal 내부의, 국내의
external 외부(의), 밖의, 외국의
externally 외부적으로, 대외적으로

1335 □□□ ·멜ㅌ
melt 녹(이)다, 누그러지다 < melt - melted - melted, molten >
meltdown 용해, 붕괴, 대폭락

1336 □□□ ·말러·큘
molecule 분자

1337 □□□ ·나이스
nice 좋은, 친절한

1338 □□□ 올림픽
Olympic 올림픽(의)

1339 □□□ ·페이지
page 면, 쪽
webpage [컴퓨터] 웹페이지

1340 □□□ ·뤠ㄷ
red 빨간(색), 공산당원

1341 □□□ ·씰
seal 물개, 인장, 봉인하다

1342 □□□ ·스테이즤
stage 단계, 무대

1343 □□□ ·스테디
steady 꾸준한, 확고한, 안정된
steadily 꾸준히, 착실하게

1344 □□□ 서·스테인
sustain 떠받치다, 유지하다, 견디다
sustainable 지속 가능한, 견딜 수 있는

1345 □□□ ·투어
tour 관광 여행하다, 여행하다
tourist 관광객, 관광의

1346 □□□ ·토이
toy 장난감, 장난하다

1347 □□□ 유·닠
unique 유일한, 독특한, 고유의

1348 □□□ ·'브잌텀
victim 희생자, 피해자

1349 □□□ 어·뷰ㅅ
abuse 남용(하다), 학대(하다), 오용(하다)

1350 □□□ 어·캄플리싀
accomplish 성취하다, 완수하다
accomplishment 성취, 완성, 업적

1351 □□□ ·에임
aim 목표(로 하다), 조준하다, ~을 향하다
aim to do ~하려고 목표하다

1352 □□□ 어·나운ㅅ
announce 발표하다, 알리다, 선언하다
announcement 공고, 발표, 선언
announcer 방송 진행자, 아나운서

1353 □□□ 어·퐐러·쟈이ㅈ
apologize 사과하다, 변명하다
apology 사과, 변명, 옹호
apologetic 사죄의, 변명의

1354 □□□ ·아-키텍쳐
architecture 건축학, 건축 양식, 구조
architect 건축가, 설계자

1355 □□□ ·앨머스·'피어
atmosphere 공기, 대기, 분위기, 기운

1356 □□□ 어·태최
attach 붙이다, 첨부하다, 소속시키다
detach 떼다, 떼어내다, 분리하다, 파견하다

1357 □□□ ·어터·매티클리
automatically 자동적으로, 무의식적으로
automatic 자동의, 무의식적인, 기계적인

1358 □□□ ·비
bee [동물] 벌
bumblebee 땅벌
beekeeper 양봉가

1359 □□□ ·보어더-
border 국경(지역), 경계
borderland 국경 지방
borderless 국경 없는

1360 □□□ 커·뤼어
career 직업, 경력

1361 □□□ ·클락
clock 시계
o'clock ~시 정각

1362 □□□ ·캄퍼텐ㅌ
competent 능숙한, 유능한
competence 능력, 권한

1363 □□□ 코웊위Θ
cope with ~에 대처[대응]하다
cope 긴 망토, 덮개, 덮다

1364 □□□ ·크롸우ㄷ
crowd 군중, 사람들, 가득 메우다, 밀려오다
crowded 붐비는, 가득 찬

1365 □□□ ·디·재스터-
disaster 참사, 재난
disastrous 재앙의, 비참한

1366 □□□ ·디스트뤄·뷰션
distribution 분배, 배부, 배급, 분포
distribute 분배하다, 배포하다

1367 □□□ ·다큐멘ㅌ
document 서류, 문서, 기록하다, 서류로 입증하다
documentary 기록 영화, 기록물, 문서의

1368 □□□ ·'플로어-
floor 바닥, 층
서수-floor (서수)층, ~번째 층

1369 □□□ ·쟈이언ㅌ
giant 거인, 거대한

1370 □□□ ·그뤠인
grain 곡물
a grain of 낱알 한 개의

1371 □□□ ·힐
heal 치료하다, 고치다
healing 치료(의), 치유(법)

1372 □□□ 하이어
hire 고용(하다), 임대(하다), 임금, 사용료

1373 □□□ ·아너
honor 명예, 영광, 존경하다, 예우하다
honorable 지조 있는, 고결한
honour 명예, 영광, 존경하다, 예우하다
*honor의 영국식 표기

1374 □□□ 호라이즌
horizon 수평선, 지평선
horizontal 수평(선)의, 가로의

1375 □□□ ·인·텐션
intention 의도, 목적
intent 의도, 계획, 집중된
intentional 의도적인, 계획된

1376 □□□ ·라우ㄷ
loud 시끄러운, 큰소리 내는
loudness 큰 목소리, 소리의 세기
loudly 큰 소리로, 화려하게

1377 □□□ ·매치
match 일치하는, 성냥, 경기
matching 어울리는, 조화된

1378 □□□ ·밀
meal 식사, 음식

1379 □□□ ·뭐디'파이
modify 수정하다, 변경하다
modification 변경, 조정

1380 □□□ 퍼·나머난
phenomenon 현상, 사건, 비범한 인물

1381 □□□ 프리즌 **prison** 교도소, 감금하다

imprisonment 투옥, 구금, 감금 | imprison 가두다, 수감하다
prisoner 죄수, 포로

1382 □□□ ·퀀티티 **quantity** 양, 수량

1383 □□□ ·쿼-터- **quarter** 4분의 1, 분기

1384 □□□ 씨ㄷ **seed** 씨(를 뿌리다)

1385 □□□ ·쎅ㅅ **sex** 성별, 성관계

sexual 성의, 성에 관한, 성적인
sexy 섹시한, 성적인

1386 □□□ ·섀·도우 **shadow** 그림자, 암시

shade 그늘(지다), 음영

1387 □□□ ·테이블 **table** 테이블, 식탁, 표

1388 □□□ ·텐션 **tension** 긴장(시키다), 팽팽하게 하다

tent 천막
tense 긴장한, 팽팽한

1389 □□□ ·웨일 **whale** 고래

1390 □□□ ·앱설·룰 **absolute** 절대적인, 완전한

absolutely 절대적으로, 무조건으로

1391 □□□ 어·큐뮤얼레잍 **accumulate** 축적하다, 모으다

accumulation 축적, 누적

1392 □□□ ·애디쿠웨ㅌ **adequate** 충분한, 알맞은, 적당한

1393 □□□ 어·져스ㅌ **adjust** 조절하다, 적응하다, 맞추다

adjustment 조정, 조절, 순응

1394 □□□ 어·뤠인쥐
arrange 마련하다, 정리하다, 배열하다
arrangement 정리, 배열, 합의, 조정

1395 □□□ ·캄
calm 고요한, 차분한
calm down 진정시키다
calmly 고요히, 침착하게, 태연하게

1396 □□□ 쎌·레브뤄티
celebrity 유명인, 명성

1397 □□□ ·칙인
chicken 닭(고기)
hen 암탉
chick 병아리, 새의 새끼
cock 수탉

1398 □□□ 컬·랩ㅅ
collapse 붕괴되다, 무너지다, 쓰러지다, 붕괴, 실패

1399 □□□ ·칸텐ㅌ
content 내용물, 만족하는
content to ~을 만족하는

1400 □□□ ·디서플런
discipline 규율, 훈련, 연습

1401 □□□ ·디·스플레이
display 전시하다, 보여주다, 화면표시장치

1402 □□□ 도우·네이ㅌ
donate 기부[기증]하다
donation 기부(금)
donor 기부자, 기증자

1403 □□□ ·더블
double 두 배, 이중의, 두 배로 되다

1404 □□□ ·엘러·베이ㅌ
elevate 들어 올리다, 승진[승격]시키다
elevator 승강기, 엘리베이터

1405 □□□ ·'퍼-틀
fertile 비옥한, 풍부한, 다산하는
fertility 비옥함, 생식력
fertilizer 비료

1406 □□□ ·그래쥬에잍
graduate 졸업하다, 졸업생, 대학원생
undergraduate 대학 재학생(의)
graduation 졸업(식)

1407 □□□ ·허즈벤ㄷ
husband 남편

1408 □□□ ·머네터-
monitor 감시하다, 화면, 반장, 감시원
monitoring 감시, 관찰

1409 □□□ 퍼·테이·토우
potato 감자

1410 □□□ ·콸러·'파이
qualify 자격을 주다[얻다], 한정하다
qualification 자격, 자질, 능력

1411 □□□ ·뢔셔널
rational 합리적인, 이성적인

1412 □□□ 뤼·'퓨ㅈ
refuse 거절하다, 쓰레기

1413 □□□ 륄·리ㅅ
release 발표하다, 출시하다, 해방하다

1414 □□□ ·루ㅌ
route 길, 방법, 수단, 경로

1415 □□□ ·쉬우ㅈ
shoe 신발

1416 □□□ 언·레ㅅ
unless 만약 ~이 아니면, ~이 아닌 한

1417 □□□ 바이러ㅅ
virus 바이러스

1418 □□□ 휠
wheel 바퀴, 핸들, 회전시키다
wheelchair 휠체어

1419 □□□ 애드·마이어
admire 존경하다, 감탄하다, 동경하다
admiration 감탄, 존경

1420 □□□ ·밴
ban 금지(하다), 추방(하다), 금지령
banned 금지된, 차단된, 정지된, 추방된

1421 □□□ ·부스ㅌ
boost 신장시키다, 밀어주다, 격려, 인상

1422 □□□ ·버짙 **budget** 예산, 경비

1423 □□□ 카페·인 **caffeine** 카페인

1424 □□□ ·치어어-취 **church** 교회

1425 □□□ ·칼러니 **colony** 식민지, 군집

1426 □□□ ·캉그리ㅅ **congress** 회의, 국회

1427 □□□ ·커-뤼즤 **courage** 용기, 담력

discourage 낙담시키다, 막다, 반대하다, 단념시키다 **courageous** 용감한

1428 □□□ ·디·스터-ㅂ **disturb** 방해하다, 불안하게 만들다

1429 □□□ ·덬 **duck** 오리

1430 □□□ 더스ㅌ **dust** 먼지, 뿌리다

1431 □□□ 이·노-머ㅅ **enormous** 거대한, 엄청난

1432 □□□ ·엑설런ㅌ **excellent** 훌륭한, 우수한

1433 □□□ ·'프루ㅌ **fruit** 과일, 결과

1434 □□□ ·쟤스쳐- **gesture** 몸짓

1435 □□□ ·그뢔쥬얼리 **gradually** 점차적으로, 차츰

gradual 점차적인, 단계적인

1436 □□□ 게스ㅌ **guest** 손님

1437 □□□ ·인·'베이ㄷ **invade** 침략하다, 침해하다

invader 침략자, 침입자

invasion 침략, 침해

1438 □□□ ·맵 **map** 지도, 약도

1439 □□□ ·매스ㅋ **mask** 마스크, 겉치레, 숨기다

1440 □□□ 머·캐닉 **mechanic** 정비공, 기계공

mechanical 기계적인, 기계의, 기계학의, 자동적인

mechanism 기계장치, 방법, 구조

1441 □□□ ·메디·테이션 **meditation** 명상, 심사숙고

1442 □□□ 미·노-뤄티 **minority** 소수, 소수 민족

minor 소수의, 미성년자, 2류의, 부전공

1443 □□□ ·넥 **neck** 목

necklace 목걸이

necktie 넥타이

1444 □□□ ·노우션 **notion** 개념, 생각

1445 □□□ ·퐈-티클 **particle** 입자, 먼지, 극소량

1446 □□□ ·풔미넌ㅌ **permanent** 영구적인, 상설의

perm 파마(하다)

1447 □□□ 퍼·씨스ㅌ **persist** 지속하다, 고집하다

1448 □□□ 퍼-·스펙티'ㅂ **perspective** 견해, 관점, 전망, 원근법

1449 □□□ ·랍 **rob** 강탈하다, 약탈하다

robbery 강도(질)

rob A of B A에게서 B를 빼앗다

robber 강도

1450 □□□ ·스케어 **scare** 겁내다, 깜짝 놀라게 하다, 위협하다, 놀라다

scared 깜짝 놀란

scary 무서운, 겁나는

1451 □□□ ·쌀리ㄷ **solid** 고체(의), 단단한, 확실한, 입체(의)

consolidate 굳히다, 강화하다

1452 □□□ 서·'피스티·케이티ㄷ **sophisticated** 정교한, 복잡한, 세속적인

1453 □□□ ·탘씩 **toxic** 독성의, 유독한

1454 □□□ ·'백·신 **vaccine** 백신 *바이러스 예방 항원

1455 □□□ ·'밸리ㄷ **valid** 유효한, 효과적인, 타당한

invalid 무효한, 병약한, 병약자(invalids)

1456 □□□ ·에이·디 **A.D.** 기원후

B.C. 기원전

1457 □□□ 엡·조오-어ㅂ **absorb** 흡수하다, 열중시키다

1458 □□□ ·앸티'베이ㅌ **activate** 활동적으로 하다, 활성화하다

activation 활성화

1459 □□□ ·앤·세스터- **ancestor** 조상

ancestral 조상의

1460 □□□ ·앤θ·러·필러쥐스ㅌ **anthropologist** 인류학자

anthropology 인류학

1461 □□□ 어·써-ㅌ **assert** 단언하다, 주장하다

1462 □□□ 바이ㅋ **bike** 자전거(를 타다), 오토바이

1463 □□□ ·비·지 **busy** 바쁜

1464 □□□ 캩
cat 고양이
kitty 새끼 고양이, 야옹이 | kitten 새끼 고양이

1465 □□□ 취'ㅍ
chief (부서)장, 최고의, 주요한

1466 □□□ ·크뢔시
crash (충돌)사고, 추락, 충돌하다, "쿵!", "쾅!"

1467 □□□ ·크륌
cream 크림

1468 □□□ 디·클레어
declare 선언하다, 공표하다, 단언하다, 알리다

1469 □□□ 딜·리버레이ㅌ
deliberate 고의의, 의도적인, 신중한, 숙고하다
deliberately 고의로, 신중히

1470 □□□ ·엠파θ이
empathy 공감, 동정심, 연민
sympathy 동정(심), 공감, 연민
sympathetic 동정심 있는, 마음에 드는, 호의적인

1471 □□□ ·엔터-·테인
entertain 즐겁게 하다, 대접하다
entertainment 오락, 여흥
entertainer 연예인, 공연가

1472 □□□ 익·저스ㅌ
exhaust 다 써버리다, 소모하다
exhaustion 탈진, 기진맥진

1473 □□□ ·'풜ㅌ
fault 잘못, 결점
faulty 잘못된, 불완전한, 결함 있는

1474 □□□ ·'픽ㅅ
fix 수리하다, 고치다, 고정하다
fixed 고정된, 불변의 | fixture 고정물, 경기

1475 □□□ ·'풀·리시
foolish 어리석은, 바보같은
fool 바보(짓을 하다), 장난치다

1476 □□□ ·해저-ㄷ
hazard 위험(요소), ~을 위태롭게 하다
hazardous 위험한, 모험적인, 유해한

1477 □□□ 잉·그뤼디언ㅌ
ingredient 재료, 성분, 구성 요소

1478 □□□ 인쎅ㅌ
insect 곤충(류)
insecticide 살충제

1479 □□□ ·렝θ
length 길이, 시간

1480 □□□ ·멍키
monkey 원숭이
chimpanzee 침팬지
gorilla 고릴라
orangutan 오랑우탄

1481 □□□ 마우·ㅅ
mouse 쥐, [컴퓨터] 마우스
mice mouse의 복수, 쥐들

1482 □□□ 뉴뤈
neuron 뉴런, 신경 세포

1483 □□□ 노우ㅈ
nose 코, 후각

1484 □□□ 오우·비시티
obesity 비만
obese 비만의, 뚱뚱한

1485 □□□ ·'프뤠이ㅈ
phrase 구, 숙어, 말씨, 명언

1486 □□□ 프뤼·텐ㄷ
pretend ~인 체하다, 가장하다

1487 □□□ 뤼·플라이
reply 대답(하다), 응답(하다)

1488 □□□ 뤼·워-ㄷ
reward 보상(하다), 보수, 현상금, 보답하다

1489 □□□ ·샾
sharp 뾰족한, 날카로운, 급격한, 분명한
sharpen 날카롭게 하다, 갈다
sharply 날카롭게, 급격하게, 심하게

1490 □□□ ·쉬-'프ㅌ
shift 이동하다, 바꾸다(바뀌다)

1491 □□□ ·스웰
sweat 땀(흘리다), 걱정하다
sweater 스웨터
sweaty 땀투성이의, 땀이 나는

1492 □□□ ·팁
tip 팁, 조언

1493 □□□ 언·프뤠서·덴티ㄷ
unprecedented 전례 없는
precede 앞서다, 먼저 일어나다

1494 □□□ ·'배스ㅌ
vast 막대한, 굉장한

1495 □□□ ·'벌너러블
vulnerable 취약한
vulnerability 상처받기 쉬움, 취약성

1496 □□□ 애드·미너·스트뤠이션
administration 경영, 관리, 통치, 행정
administrator 관리자, 행정관
administer 관리하다, 통치하다

1497 □□□ 어·프루-'블
approval 찬성, 승인
approve 찬성하다, 승인하다
approve of ~을 찬성[승인]하다

1498 □□□ 베스킽·발
basketball 농구
basket 바구니, 바구니 하나의 분량

1499 □□□ ·바이어ㅅ
bias 편견, 성향
unbiased 편견 없는, 공평한

1500 □□□ ·블라인ㄷ
blind 눈 먼, 장님의, 맹목적인

1501 □□□ ·브랜취
branch 나뭇가지, 부서, 부문, 지사

1502 □□□ ·케이'ㅂ
cave 동굴
cavity 구멍, 충치, 공동 *빈 공간

1503 □□□ ·썰-클
circle 원형, 동그라미

1504 □□□ 클로운
clone 복제[품], 복제인간

1505 □□□ ·칸티넌ㅌ
continent 대륙
continental 대륙의, 대륙성의

1506 □□□ ·카운터-
counter 계산대, 반대하다, 반대의

1507 □□□ ·큐어
cure 치료(하다)

1508 □□□ ·디쉬
dish 접시, 요리
dishwashing 설거지
dishwasher 식기 세척기

1509 □□□ 팬·태스틱
fantastic 환상적인, 상상의
fancy 공상(의), 상상(의), 화려한, 환상
fantasy 상상, 공상

1510 □□□ ·'피
fee 요금, 수수료

1511 □□□ ·'플레임
flame 불꽃, 불길, 타오르다
flare 타오르다, 화염, 나팔 모양

1512 □□□ 혼
horn 뿔

1513 □□□ ·인·'펙션
infection 감염
infect 감염시키다, 오염시키다
infectious 전염성의, 오염되는

1514 □□□ ·쥬이싀
Jewish 유대인의
Jew 유대인, 유대교도

1515 □□□ ·리ㄱ
league 연맹
colleague 동료

1516 □□□ ·레져슬·레이션
legislation 법률, 입법
legislate 입법하다

1517 □□□ ·라ㅋ
lock 자물쇠, 잠그다
unlocked 잠기지 않은
unlock 잠금을 열다, 풀다, 털어놓다

1518 □□□ ·밑 **meat** 고기

1519 □□□ ·미·스티뤄어ㅅ **mysterious** 신비한, 불가사의한, 수수께끼 같은

mystery 신비, 비밀, 수수께끼

1520 □□□ 네비게이션 **navigation** 항해, 항공

navigate 길을 찾다, 항해하다, 지나가다

navigator 항해자, 조종자

1521 □□□ 노우·바디 **nobody** 아무도 ~않(-다)

1522 □□□ ·아ㄷ **odd** 이상한, 홀수, 별난

1523 □□□ ·페이ㅅ **pace** 속도, 보폭, 걷다, 한 걸음

1524 □□□ ·피ㅅ **peace** 평화, 평온

peaceful 평화로운, 평온한

1525 □□□ 프리·싸이슬리 **precisely** 정확하게, 정밀하게, 신중하게

precise 정확한, 정밀한

precision 정확, 정밀, 신중

1526 □□□ ·셔ㅌ **shut** 닫다, 잠그다, 잠기다, 닫은 < shut - shut - shut >

1527 □□□ ·톨 **tall** 키가 큰, 긴

1528 □□□ 토바코 **tobacco** 담배(잎)

1529 □□□ ·탈러뤈ㅌ **tolerant** 관대한, 내성이 있는, 잘 견디는

tolerate 참다, 견디다, 묵인하다

tolerance 관용, 인내력

1530 □□□ ·'비히클 **vehicle** 운송 수단, 매개물

1531 □□□ 발·케이노우 **volcano** 화산

volcanic 화산의

1532 □□□ ·와이'ㅍ **wife** 부인

midwife 산파 *출산을 돕는 여자

1533 □□□ 애드·'바이ㅈ **advise** 조언하다, 충고하다, 권하다

1534 □□□ ·애그뤼·컬쳐뤌 **agricultural** 농업의

agriculture 농업

1535 □□□ 어·프롹서메틀리 **approximately** 대략, 거의

1536 □□□ 뱉 **bat** 박쥐, 야구 방망이

1537 □□□ ·배Θ **bath** 욕조, 욕탕, 목욕

bathroom 욕실, 화장실

bathe 목욕시키다, 씻다

1538 □□□ ·바텀 **bottom** 밑(바닥), 기초

1539 □□□ ·코어너- **corner** 모서리, 가두다, 구석

1540 □□□ ·크뢕 **crack** 벌어진 금, 틈, 갈라지다

1541 □□□ 디·시'ㅂ **deceive** 속이다

deception 속임, 사기

1542 □□□ 딜·레이 **delay** 지연(시키다), 미루다

1543 □□□ 두·뤠이션 **duration** 지속 기간

durable 오래 견디는, 튼튼한, 내구성의

1544 □□□ ·어-Θ·퀘잌 **earthquake** 지진

1545 □□□ 일렉·트롸닠 **electronic** 전자의

electronics 전자공학

1546 □□□ ·엑스트라 **extra** 추가의, 엑스트라

1547 □□□ ·'패서·네이ㅌ
fascinate 마음을 사로잡다, 매혹하다
fascinating 흥미로운, 매력적인

1548 □□□ ·'프뤄스트뤠잍
frustrate 좌절시키다
frustration 좌절, 분노

1549 □□□ ·하이ㅌ
height 높이, 키

1550 □□□ ·헝거-
hunger 굶주림, 기아
hungry 배고픈, 부족한

1551 □□□ 롸뷔뤄이톼뤼
laboratory 실험실(의), 실험용의
lab 실험실

1552 □□□ ·래'ㅍ
laugh 웃다
laughter 웃음
laughing 웃는, 우스운

1553 □□□ ·멘션
mention 언급하다, 말하다

1554 □□□ ·머-더
murder 살인(하다)
murderer 살인자

1555 □□□ 니·글렉ㅌ
neglect 무시(하다), 무관심, 게을리하다

1556 □□□ ·뉴클리어
nuclear 핵의, 원자력의

1557 □□□ ·너-ㅅ
nurse 간호사, 유모, 젖 먹이다

1558 □□□ 엡·테인
obtain 얻다, 손에 넣다

1559 □□□ 어·케이즌
occasion 경우, 때, 행사, 기회
occasional 때때로의
occasionally 때때로, 가끔

1560 □□□ 앞션
option 선택, 방법

1561 □□□ 퍼·씨'픽
Pacific 태평양, 태평한
the Pacific 태평양

1562 □□□ 패씬져
passenger 승객, 여객

1563 □□□ ·피어
peer 동료, 응시하다

1564 □□□ ·펜
pen 펜, 쓰다, 가두다
pencil 연필

1565 □□□ ·플레인
plain 분명한, 평원

1566 □□□ ·뤠이디·오우
radio 라디오, 라디오로 방송하다
radar 전파 탐지기, 레이더

1567 □□□ ·뤼·'뷰
review 검토(하다), 비평
reviewer 비평가

1568 □□□ ·새크뤄'파이ㅅ
sacrifice 희생(하다), 제물(바치다)

1569 □□□ ·쌔니타이저
sanitizer 살균제

1570 □□□ ·씬
scene 장면, 현장, 풍경
scenery 경치, 풍경, 배경

1571 □□□ ·스코어-
score 점수, 득점(을 올리다), 평가하다
underscore 밑줄을 긋다, 강조하다

1572 □□□ ·셰이ㅋ
shake 흔들다, 악수하다 < shake - shook - shaken >

1573 □□□ ·섬
sum 합계(하다), 요약(하다)
summary 요약한, 간략한, 약식의, 즉석의

1574 □□□ ·타이
tie 묶다, 넥타이

1575 □□□ ·트롸이ㅂ **tribe** 부족, 종족

tribal 부족의, 종족의

1576 □□□ ·웨폰 **weapon** 무기, 총기

1577 □□□ 액·날리즤 **acknowledge** 인정하다, 알다, 확인하다

acknowledgement 인정, 감사, 통지

1578 □□□ 어·페어런틀리 **apparently** 명백히, 겉보기에, 외관상으로는

apparent 명백한, 겉보기에는, 외견상의

1579 □□□ ·애플 **apple** 사과

1580 □□□ 배틀 **battle** 전투, 전쟁

battlefield 싸움터, 전장

battleground 전쟁터

1581 □□□ ·브뤼ㄷ **breed** (새끼를) 낳다, 사육하다, 품종 < breed - bred - bred >

1582 □□□ ·캪쳐 **capture** 포획(하다), 점유하다, 구금, 억류

captive 사로잡힌, 포로

captivate ~의 마음을 사로잡다

captivity 포로, 감금

1583 □□□ ·셀러브뤠ㅌ **celebrate** 축하하다

celebration 축하

1584 □□□ 채인 **chain** 사슬, 쇠줄, 체인점

chainsaw 전기톱

1585 □□□ ·췌어 **chair** 의자, 의장 (the chair)

chairperson 의장, 회장, 위원장, 학과장

chairman 의장, 회장, 위원장, 학과장

1586 □□□ ·크뢔'프ㅌ **craft** (수)공예, 기술, 술책, 선박

1587 □□□ 디'피니틀리 **definitely** 확실히, 한정적으로, 명확히

definite 확실한, 확고한, 명확한

indefinitely 무기한으로, 영구히, 막연히

definitive 한정적인, 결정적인, 명확한

1588 □□□ ·데먼·스트뤠잍 **demonstrate** 증명하다, 시위하다, 설명하다

demonstration 시위, 데모, 설명, 입증, 표명

1589 □□□ 디·라이'ㅂ **derive** 끌어내다, ~에 비롯되다, 유래하다

derive from ~에서 유래하다, ~에서 얻다

1590 □□□ 디·터- **deter** 단념[포기]시키다

deterrent 방해하는, 제지시키는, 방해물

1591 □□□ ·듀티 **duty** 의무, 직무, 세금

duty free 세금 면제

1592 □□□ ·에그 **egg** 계란, 알

eggshell 달걀 껍질, 깨지기 쉬운 것

1593 □□□ 엠·베뤠스ㅌ **embarrassed** 당황한, 어색한

embarrass 당황하게 하다

1594 □□□ ·이·미션 **emission** 배출(물), 방사

emit 방출하다, 발산하다

1595 □□□ ·'펠로우 **fellow** 친구, 동료

1596 □□□ ·'프잉거- **finger** 손가락

fingerprint 지문

fingernail 손톱

1597 □□□ ·쟤너뤄ㅅ **generous** 너그러운, 관대한

generosity 관대(함), 아량, 마음이 후함

1598 □□□ ·그뤤ㅌ **grant** 수여하다, 승인하다, 보조금

1599 □□□ ·하잌 **hike** 도보 여행(하다)

hiking 도보 여행

hiker 도보 여행자

1600 □□□ 하이·퐈θ이세ㅅ **hypothesis** 가설, 가정

1601 □□□ 임·포우ㅈ
impose 부과하다, 시행하다, 강요하다

1602 □□□ ·이너쎈ㅌ
innocent 순진한, 결백한, 무죄의
innocence 무죄, 결백, 순결, 순진

1603 □□□ 조우ㅋ
joke 우스개 소리, 장난

1604 □□□ ·키췬
kitchen 부엌

1605 □□□ ·렌ㄷ
lend 빌려주다, 제공하다 < lend - lent - lent >
lent 빌린, 빌려준

1606 □□□ ·뭐이스쳐-
moisture 습기, 수분
moist 촉촉한, 습기 있는

1607 □□□ ·오우
owe 빚지고 있다, 덕분이다, 신세지다

1608 □□□ ·패Θ
path 작은 길, 통로
pathway 경로, 길목, 오솔길, 진로

1609 □□□ 뤼·세션
recession (경제)불황, 후퇴
recess 휴식(시간), 휴회, 오목한 곳

1610 □□□ 뤼·퍼블리컨
republican 공화당의, 공화국의, 공화주의자
republic 공화국

1611 □□□ ·롸운ㄷ
round 둥근, 회전, 둘레에, 대략

1612 □□□ 루·틴
routine 일상(적인), 반복적인 일, 틀에 박힌

1613 □□□ ·싸일런ㅅ
silence 침묵, 고요
silent 조용한, 고요한, 침묵의

1614 □□□ 서·'피션ㅌ
sufficient 충분한, 만족스러운
insufficient 불충분한, 부족한

1615 □□□ 쑤·피뤼어-

superior 우수한, 우월한, 상급의

superiority 우세, 우월

1616 □□□ ·수퍼'바이ㅈ

supervise 감독[관리]하다

supervision 감독, 관리, 지도

supervisor 감독자, 관리인

1617 □□□ ·스윌

sweet 달콤한, 사랑스러운, 달콤하다

1618 □□□ ·탤렌ㅌ

talent 재능, 재능인

talented 재능이 있는

1619 □□□ ·티킽

ticket 티켓, 위반 딱지

ticketing 매표

1620 □□□ 투·나잍

tonight 오늘밤(은)

by tonight 오늘밤까지

1621 □□□ ·'붜젼

version ~판, 번역(문)

1622 □□□ ·웰

wet 젖은, 습한, 적시다

1623 □□□ ·윙

wing 날개

1624 □□□ ·뢥

wrap 포장하다, 감싸다

1625 □□□ ·알커헐

alcohol 알코올, 술

alcoholic 알코올 중독자, 알코올성의

1626 □□□ ·애트뤼뷰ㅌ

attribute ~의 탓으로 하다, 속성, 특성, ~인 것으로 생각하다

1627 □□□ ·베얼리

barely 거의 ~않(-다), 간신히

bare 발가벗은, 노출된, 가까스로의, 드러내다, 벗다

1628 □□□ 붜ㅅ

boss 사장, 두목, 직장상사

1629 □□□ ·브뤼지

bridge 다리, 육교, 중개

ridge 산등성이, 산맥, 굴곡

1630 □□□ ·베뤼
bury 묻다, 매장하다, 숨기다
buried 파묻힌

1631 □□□ 칼러뤼
calory 칼로리, 열량

1632 □□□ 카-번
carbon 탄소

1633 □□□ ·츄
chew 씹다

1634 □□□ ·클라이언ㅌ
client 의뢰인, 고객

1635 □□□ 컨·크뤼
concrete 구체적인
concretely 구체적으로

1636 □□□ ·크루-셜
crucial 중대한, 결정적인
crucially 중대하게, 결정적으로

1637 □□□ 돠-더
daughter 딸

1638 □□□ ·딕셔네뤼
dictionary 사전

1639 □□□ ·엗쥐
edge 끝, 가장자리, 모서리, (칼 등의) 날
on edge ~의 가장자리[모서리]에

1640 □□□ 에·세이
essay 수필, 에세이

1641 □□□ 이그·지빝
exhibit 전시(하다), 전시회, 나타내다
exhibition 전시회

1642 □□□ ·엑·스플러잍
exploit 이용하다, 착취하다, 개발하다

1643 □□□ ·'페더럴
federal 연방제의, 연방정부의
federation 연방 국가

1644 □□□ 파일
file 파일, 보관하다, 제출하다

1645 □□□ ·'플루
flu 독감
influenza 유행성 감기

1646 □□□ ·게ㅅ
guess 추측(하다), 알아내다

1647 □□□ ·하-머니
harmony 조화, 화합, 일치
harmonious 조화로운, 화목한, 화음이 맞는
harmoniously 조화롭게, 화목하게
harmonic 화성[화음]의

1648 □□□ ·어-블
herbal 약초의
herb 약초, 풀(잎)

1649 □□□ 호울
hole 구멍

1650 □□□ 매튜어-
mature 어른스러운, 숙성한
premature 조기의, 시기상조의, 너무 이른

1651 □□□ ·맥시멈
maximum 최대의
maximize 최대화하다

1652 □□□ 미티올로즤스ㅌ
meteorologist 기상학자
meteor 유성, 운석

1653 □□□ ·마우θ
mouth 입, 과장하여 말하다

1654 □□□ ·뮤츄얼
mutual 상호간의, 서로의, 공동의, 공통의

1655 □□□ 넡
nut 견과, 암나사, 괴짜
coconut 코코넛 열매
peanut 땅콩
nutshell 견과의 껍질

1656 □□□ ·프뤠벌런ㅌ
prevalent 널리 퍼진, 유행하는
prevail 만연하다, 이기다, 유행하다

1657 □□□ ·콰이어ㅌ **quiet** 조용한

quietly 조용히, 살짝, 침착하게

1658 □□□ ·뤠퓨·테이션 **reputation** 명성, 평판

1659 □□□ 뤼·스토- **restore** 복구하다, 회복하다

restoration 복구, 회복, 복원

1660 □□□ 뤄우·맨틱 **romantic** 낭만적인, 연애의

roman 로마(제국, 시대, 사람, 언어)의 romance 연애, 낭만

1661 □□□ ·셰임 **shame** 부끄러움, 부끄럽게 하다, 수치심

ashamed 부끄러운, 수치스러운

shameful 부끄러운, 수치스러운

shy 수줍은, 내성적인, 꺼리는

1662 □□□ ·스팀 **steam** 증기(가 나다)

1663 □□□ ·써틀 **subtle** 미묘한, 섬세한, 민감한

1664 □□□ ·스윞 **sweep** 청소하다, (휩)쓸다 < sweep - swept - swept >

1665 □□□ ·심블 **symbol** 기호, 상징

symbolize 상징하다, 의미하다

1666 □□□ 테일 **tail** 꼬리, 뒤에서 오는, 미행하다

tag 꼬리표(를 달다), 표시하다, 추적 장치(를 붙이다)

1667 □□□ ·틸 **till** ~(때) 까지, 경작하다

1668 □□□ ·트뢔져디 **tragedy** 비극, 재앙, 참사

tragic 비극의, 비참한

1669 □□□ ·트뤠이ㅌ **trait** 특징, 특성

1670 □□□ 엎·셑 **upset** 전복(시키다), 당황(시키다), 혼란(에 빠진) < upset - upset - upset >

1671 □□□ 유·틸리티
utility 유용(성), 공익사업, 공익시설, 유용품
utilize 이용하다, 활용하다

1672 □□□ ·'뷔츄얼
virtual 사실상의, 거의, 가상의
virtually 사실상, 실제로, 가상으로

1673 □□□ ·위트네ㅅ
witness 목격자, 증거, 목격하다, 증언하다

1674 □□□ 앰·비규어ㅅ
ambiguous 애매한
ambiguity 애매함
unambiguous 명백한, 애매하지 않은

1675 □□□ ·아-티클
article 조항, (신문)기사, 물품

1676 □□□ ·바Ð어
bother 괴롭히다, 신경 쓰다, 애쓰다

1677 □□□ ·버ㄷ
bud 싹, 봉오리를 맺다, 싹이 나다
budding 싹 트기 시작하는, 발아

1678 □□□ ·버ㅅ
bus 버스

1679 □□□ ·코우ㅌ
coat 코트, 외투, 덧칠하다
coating 칠(하는), 입히는, 도료

1680 □□□ 컴·플레인
complain 불평[항의]하다, 고소하다
complaint 불평, 항의, 고소
plaintiff 고소인, 원고

1681 □□□ ·칸'퍼런ㅅ
conference 회의
confer 수여하다, 주다, 협의하다

1682 □□□ 쿠키
cookie 쿠키

1683 □□□ 디·나이
deny 부인하다, 거절하다
undeniable 부인할 수 없는, 뛰어난, 명백한
denial 부인, 부정, 거절

1684 □□□ 디·센ㅌ
descent 하강, 강하, 출신, 상속

condescend 자신을 낮추다
ascend (~에) 오르다, 상승하다
descend 내려가다, 전해지다
descendant 자손, 후손
ascent 상승, 올라감, 오르막

1685 □□□ 디알러ㄱ
dialogue 대화, 문답

dialect 방언

1686 □□□ ·디스·랖ㅌ
disrupt 방해하다, 붕괴시키다

disruption 붕괴, 혼란, 중단, 두절

1687 □□□ ·엘리'펀ㅌ
elephant 코끼리

1688 □□□ ·에너미
enemy 적

1689 □□□ 익·스플로우ㄷ
explode 폭발하다[시키다]

explosion 폭발
explosive 폭발물, 폭발적인, 폭발(성)의
implode 파열하다, 붕괴하다

1690 □□□ ·'페이θ
faith 믿음, 신뢰

faithful 충실한, 성실한, 믿을만한
be faithful to ~에 충실하다
faithfully 충실히, 정확히
unfaithful 불성실한, 부정직한

1691 □□□ ·'피버-
fever 열, 열기, 열광

1692 □□□ 플루ㄷ
flood 홍수, 쇄도, 범람하다, 물에 잠기게 하다

1693 □□□ ·'프뤠임
frame 틀, 액자, 뼈대

framework 뼈대, 틀, 체제

1694 □□□ 그레이
grey 회색, 우중충한

gray 회색, 음침한

1695 □□□ ·호어·모운
hormone 호르몬

1696 □□□ ·인져-
injure 부상을 입히다, 다치게 하다
injury 부상, 상처, 피해

1697 □□□ ·쟉
jog 조깅하다
jogging 조깅

1698 □□□ 러·죄터멜
legitimate 합법적인, 합법화하다, 정당한
legitimize 합법화하다, 정당화하다
legitimacy 합법성, 타당성
illegitimate 사생아(로 태어난), 불법적인
legitimately 합법적으로, 정당하게

1699 □□□ 러ㄱ
log 통나무, 일지(를 쓰다)
catalogue 목록(을 작성하다), 홍보책자
catalog 목록, 일람표

1700 □□□ ·머-쳔ㅌ
merchant 상인(의), 상업(용)의
merchandise 상품, 제품, ~을 매매하다

1701 □□□ ·어블리·게이션
obligation 의무
oblige ~에게 강요하다, ~에게 은혜를 베풀다
obligatory 의무적인, 필수의
be obligated to ~할 의무가 있다

1702 □□□ ·포이즌
poison 독(약), 해악
poisoning 중독
poisonous 독(이 있는), 유해한

1703 □□□ ·퓨어
pure 순수한
purely 순수하게, 깨끗하게, 맑게
purge 정화(하다), 제거하다, 숙청(하다)
purifier 정화 장치
purify 정화하다

1704 □□□ ·뤠디·에이션
radiation 방사(선), 복사(열)
radiate 방사하다, 뻗다
radiant 빛을 내는, 빛나는, 방사상의
radiator 라디에이터 *엔진의 냉각 장치, 전기난로

1705 □□□ 뤼·뤜턴ㅌ
reluctant 꺼리는, 마지못해 하는
reluctance 질색, 거부, 꺼림

1706 □□□ ·뤄'ㅍ
rough 거친, 대충의
roughly 대략, 거의, 거칠게

1707 □□□ ·소울져
soldier 군인

1708 □□□ ·스펠
spell 철자를 말하다[쓰다], 마법, 교대(하다)
misspell 철자를 틀리다
spell out 자세히 설명하다, 발표하다, 철자를 쓰다

1709 □□□ 스파이더
spider 거미

1710 □□□ 스·틸
steal 훔치다, 절도 < steal - stole - stolen >
stolen 훔친, 은밀한
stealthy 몰래 하는, 은밀한
stealth 몰래 하기, 잠행

1711 □□□ 스틸
steel 강철

1712 □□□ ·스트륌
stream 하천, 흐름, 흐르다
mainstream 주류, 대세
upstream 상류에[로], 거슬러 오르는

1713 □□□ ·Θ에뤄피
therapy 치료, 요법
therapist 치료 전문가, 치료사

1714 □□□ ·트뤠이ㅅ
trace 추적하다, 자취, 미량, 찾아내다
be traced back to ~부터 기원이 시작되다

1715 □□□ ·와쉬
wash 씻다
washing 세탁, 씻기

1716 □□□ 어·큐ㅈ
accuse 고발[고소]하다, 비난하다
accusation 고발, 고소, 비난

1717 □□□ ·애덜·레썬ㅌ
adolescent 청소년(기의)
adolescence 청소년기

1718 □□□ 애드·'붜ㅅ
adverse 부정적인, 반대하는, 거스르는, 불리한
adversely 반대로, 역으로, 불리하게

1719 □□□ 얼러-쥑
allergic 알레르기의
allergy 알레르기

1720 □□□ ·앨'퍼·벨
alphabet 알파벳(문자), 자모
alphabetic 알파벳의, 알파벳 순의
alphabetical 알파벳의, 알파벳 순의

1721 □□□ 보운
bone 뼈

1722 □□□ ·밭을
bottle 병
a bottle of 한 병의

1723 □□□ ·브뤠이'ㅂ
brave 용감한
bravery 용감
bravely 용감하게, 훌륭하게

1724 □□□ ·브뤄쉬
brush 닦다, 솔(질하다), 붓

1725 □□□ ·캐'피티뤄어
cafeteria 구내식당
cafe 간이 식당, 다방, 카페

1726 □□□ ·캔설
cancel 취소하다
cancellation 취소, 해제

1727 □□□ ·크롸닉
chronic 장기간의, 만성적인
chronicler 연대기 작가, 기록자
chronicle 연대기
chronological 연대순의, 시간순의, 연대기의

1728 □□□ ·클린익
clinic 병원, 진료소
clinical 임상의, 병실의, 간소한

1729 □□□ ·칸버-ㅌ
convert 바꾸다, 전환하다
conversion 전환, 변환

1730 □□□ ·코온
corn 옥수수
popcorn 팝콘

1731 □□□ 댄
dad 아빠
daddy 아빠
granddaddy 할아버지, 대가, 시조

1732 □□□ 딜·라이ㅌ
delight 기쁨
delectable 맛있어 보이는, 즐거운
delightfully 매우 반갑게, 유쾌하게

1733 □□□ ·덴서티

density 밀도, 농도

dense 빽빽한, 밀집한
low-density 저밀도, 저농도
high-density 고밀도의

1734 □□□ 디·프라이'ㅂ

deprive 빼앗다

deprive A of B A에게 B를 빼앗다
deprivation 박탈

1735 □□□ 디쌔풔인ㅌ

disappoint 실망시키다

disappointed 실망한
disappointment 실망

1736 □□□ ·에롸

era 시대, 연대

1737 □□□ 익·스큐스

excuse 변명, 용서하다

excusable 용서할 수 있는

1738 □□□ ·'플래ㅌ

flat 평평(한), 납작한, 균일한

flat tire 바람 빠진 타이어
flatten 평평하게 하다, 기세를 꺾다
flattened 평평해진

1739 □□□ ·'플레이버-

flavor 맛, 풍미, 조미료, 맛을 내다

flavored ~맛이 첨가된, 양념이 된

1740 □□□ 플로우ㅌ

float 뜨다, 떠오르다

floating 떠다니는, 유동적인
afloat (물에)뜬, 떠서

1741 □□□ ·'플뤄뤼쉬

flourish 번창하다, 번성하다, 잘 자라다

flourishing 번영하는, 성대한

1742 □□□ ·'프롸잍

fright 놀람, 두려움

frightening 겁 주는, 놀라게 하는
frightened 겁먹은, 무서워하는
frighten 놀라게 하다, 무섭게 하다

1743 □□□ ·잰틀

gentle 온화한, 부드러운, 차분한

gentleman 신사, 남자분
gently 부드럽게, 다정하게
ungently 불친절하게
ungentle 예의 없는, 불친절한

1744 □□□ ·일·루미네이ㅌ
illuminate 밝게 하다, 계몽하다

1745 □□□ ·인·쥐니어ㅅ
ingenious 독창적인, 기발한, 영리한

ingenuity 독창성, 재간
genius 천재(성)

1746 □□□ ·인·텐ㄷ
intend 의도하다, ~할 작정이다, 의미하다

unintended 고의가 아닌, 우연한

1747 □□□ ·이뤄테이ㅌ
irritate 짜증나게 하다

irritable 짜증을 잘 내는, 과민한
irritating 흥분시키는, 화나는
irritation 짜증남, 자극, 염증

1748 □□□ ·아이설·레이션
isolation 고립

isolate 분리하다, 고립시키다, 격리하다
isolated 고립된, 격리된
desolate 황량한, 적막한, 외로운
desolation 황량함, 적막함, 외로움

1749 □□□ ·리'프ㅌ
lift (위로) 올리다, 들어올리다

uplift 들어올리다

1750 □□□ ·로운
loan 대출(금), 빌려주다

1751 □□□ ·런취
lunch 점심

luncheon 점심, 오찬
lunchtime 점심 시간, 점심 때

1752 □□□ ·피·엠
P.M. 오후 시간

A.M. 오전 시간

1753 □□□ ·페어-
pair 한 쌍, 한 벌, 짝짓다

paired with ~와 짝지어진, ~와 연결된

1754 □□□ ·핑ㅋ
pink 분홍색(의)

1755 □□□ ·프롸이ㄷ
pride 자존심, 자만

1756 □□□ 프롸·스페뤄티
prosperity 번창, 성공

prosper 번영하다, 성공하다

1757 □□□ ·프롸우ㄷ **proud** 자랑스러운, 자부하는, 거만한
proudly 자랑스럽게, 오만하게

1758 □□□ 뤼·커'버 **recover** 회복하다, 회수하다, 복구하다
recovery 회복, 구조, 복구

1759 □□□ 리'풘ㄷ **refund** 환불(하다), 환급(하다), 반환(하다)

1760 □□□ ·세일 **sail** 항해(하다), 돛
sailor 선원, 뱃사람

1761 □□□ ·쌜러뤼 **salary** 급여

1762 □□□ ·쏼ㅌ **salt** 소금, 짠, 절인
saltwater 바닷물의, 염수의
salty 짠, 소금기 있는

1763 □□□ ·셸터- **shelter** 주거지, 피난처, 보호하다

1764 □□□ ·써- **sir** 님, 씨

1765 □□□ 스·키 **ski** 스키
skier 스키 타는 사람

1766 □□□ ·써'프ㅌ **soft** 부드러운, 유연한
soften 부드럽게 하다, 완화시키다

1767 □□□ ·테어 (동) ·티어 (명) **tear** 찢다 < tear - tore - torn >
tears 눈물

1768 □□□ ·테뤼퉈뤼 **territory** 영토, 지역
territorial 영토의, 지방의, 토지의

1769 □□□ ·터'ㅍ **tough** 강한, 거친, 고된

1770 □□□ 트뤺 **trap** 함정, 가두다, 덫(으로 잡다)

1771 □□□ 트뤄·멘더ㅅ **tremendous** 엄청난, 거대한, 무서운
tremendously 엄청나게

1772 □□□ 엄·브렐러 **umbrella** 우산

1773 □□□ ·'밴이싀 **vanish** 사라지다
vain 헛된, 자만하는, 허영적인

1774 □□□ ·'베이퍼- **vapor** 증기, 발산시키다, 증발시키다
evaporate 증발시키다, 증발하다 evaporation 증발

1775 □□□ ·웨건 **wagon** 짐마차, 배달용 트럭

1776 □□□ ·울 **wool** 양모, 털실, 모직물

1777 □□□ ·즈이뤄우 **zero** 0(의), 영점, 없는

1778 □□□ 어·밴던 **abandon** 버리다, 그만두다, 포기하다

1779 □□□ 액·세서뤼 **accessory** 보조적인, 장신구, 부속물

1780 □□□ ·앨트루·이즘 **altruism** 이타주의
altruistic 이타적인

1781 □□□ ·애뉴얼 **annual** 1년의, 해마다의
annually 매년, 1년에 한 번씩

1782 □□□ ·밴ㄷ **band** 음악단, 무리, 묶는 끈, 주파수 대역범위

1783 □□□ ·벨ㅌ **belt** 허리띠

1784 □□□ ·블레임 **blame** 비난(하다), ~의 탓으로 돌리다

1785 □□□ ·블레ㅅ **bless** 축복하다, 기도하다
blessing 은총, 축복

1786 □□□ 보어ㄷ **bored** 지루한

boredom 지루함, 권태, 지루한 일

boring 지겨운, 따분한

1787 □□□ ·부쉬 **bush** 덤불, 수풀

1788 □□□ 캐쉬 **cash** 현금(의)

cashier 금전 출납원

1789 □□□ 컨·'빅션 **conviction** 유죄 판결, 확신

convict 죄수, 죄인, 유죄를 선고하다

1790 □□□ 코어럴 **coral** 산호

1791 □□□ 디·'핕 **defeat** 패배시키다, 패배

1792 □□□ 디터젠ㅌ **detergent** 세제

1793 □□□ 딬테이터·쉽 **dictatorship** 독재정권, 독재(기간)

dictator 독재자

dictate 명령(하다), 좌우하다, 받아 쓰게 하다

1794 □□□ ·디·스크뤼미·네이션 **discrimination** 차별, 안목, 식별, 차이

discriminate 차별하다, 구별하다

1795 □□□ ·디·스퓨ㅌ **dispute** 논쟁(하다), 저항(하다)

1796 □□□ 다이'버 **diver** 잠수부, 다이버

dive 잠수(하다), 뛰어들다, 몰두(하다)

diving 잠수(의), 다이빙

1797 □□□ 디·'붜-ㅅ **divorce** 이혼(하다), 분리시키다

1798 □□□ ·드롸운 **drone** [동물] 수벌, 무인 비행체

1799 □□□ ·엘덜리
elderly 늙은, 노인들(the elderly)
elder 노인, 어른, 나이가 더 많은

1800 □□□ ·엠파이어-
empire 제국
emperor 황제

1801 □□□ ·'플래쉬
flash 번쩍(거리다), 섬광

1802 □□□ 포우ㅋ
folk 사람들, 국민, 민족, 민속풍의

1803 □□□ 프뤄ㄱ
frog 개구리

1804 □□□ 헤'븐
heaven 천국, 낙원
hell 지옥

1805 □□□ ·호울리
holy 신성한
holiday 휴일, 휴가

1806 □□□ ·이미테이ㅌ
imitate 모방하다
imitation 모방, 모조품, 흉내
imitative 모방의, 모방적인

1807 □□□ ·인취
inch 인치 *약 2.5cm의 길이

1808 □□□ ·이·네비테블리
inevitably 불가피하게, 아니나 다를까
inevitable 불가피한, 필연적인

1809 □□□ ·아이언
iron 철, 다리미질하다

1810 □□□ ·랩
lap 무릎, 한바퀴, 핥다, 찰싹찰싹 치다
laptop 무릎에 놓을 크기의 휴대용 컴퓨터
overlap 겹치다, 중복되다

1811 □□□ ·레쓴
lesson 수업, 교훈, 가르치다
lesson unit 학습단원

1812 □□□ 라이쎈ㅅ
license 면허(증), 허가
licence 면허, 자격증

1813 □□□ 매직
magic 마법, 마술
magical 마법의, 신비한
magician 마법사, 마술사

1814 □□□ ·미션
mission 임무, 사명, 사절(단)
missionary 선교사, 전도사, 선교의

1815 □□□ ·무ㄷ
mood 기분, 감정, 분위기

1816 □□□ ·아웉·풑
output 생산(품), 산출(량)
input 입력(하다), 투입(량)

1817 □□□ ·아울
owl 올빼미

1818 □□□ 팬
pan 프라이 팬, 오븐 팬
pancake 팬케이크, 분장

1819 □□□ ·패션
passion 열정, 분노, 열애
passionate 열렬한, 열정적인

1820 □□□ 페스티·싸이ㄷ
pesticide 살충제, 농약
pest 해충, 골칫거리

1821 □□□ ·'페이ㅈ
phase 단계, 단계적으로 하다

1822 □□□ ·파운ㄷ
pound 치다, 파운드 *무게 453g, 파운드화 *영국의 화폐 £
pounding 난타

1823 □□□ 프뤄·히빝
prohibit 금지하다, 방해하다
prohibition 금지(령), 금지 규정
prohibit doing ~하는 것을 막다
prohibit ~ from doing ~하는 것을 금지하다

1824 □□□ ·뤠지스터
register 등록하다
registration 등록, 등기

1825 □□□ ·뤱타일
reptile 파충류

1826 □□□ ·뤼·테일
retail 소매(판매하다), 소매의
retailer 소매업자

1827 □□□ ·뤼츄얼

ritual 종교의식(의)

rite 종교의식, 관습

1828 □□□ ·루인

ruin 폐허(로 만들다), 파멸(시키다), 손해

ruined 황폐한, 몰락한, 손상된

1829 □□□ ·스크륀

screen 화면, 상영하다, 가리다, 망, 체

touchscreen 터치스크린

1830 □□□ ·싀륑ㅋ

shrink 수축(되다), 줄다 < shrink - shrank - shrunk >

1831 □□□ 슬·라이ㄷ

slide 미끄러지다, 하락하다, 미끄럼틀 < slide - slid - slid >

sled 썰매

landslide 산사태, 압도적인 승리

1832 □□□ ·스팅

sting 찌르다, 괴롭히다, 침 < sting - stung - stung >

stingy 인색한, 부족한, 날카로운

stinger 찌르는 것, 침

1833 □□□ ·써-져뤼

surgery 수술(실), 외과

surgeon 외과의사

1834 □□□ 트뤤즈·레이션

translation 번역, 해석

translate 번역하다, 해석하다

1835 □□□ ·트뤽

trick 속임수, 사기, 책략, 속이다, 장난

1836 □□□ ·트뤜

truck 트럭

1837 □□□ ·트위스ㅌ

twist 비틀다, 왜곡하다

1838 □□□ ·유닡

unit 단위, 장치, 부대, ~개(체), ~대

1839 □□□ ·위취

witch 마녀, 마법을 쓰다

1840 □□□ ·즈우

zoo 동물원

학습 스케쥴러

스파르타 8회독 복습 40일 완성 - 해당 일차에 해당 페이지를 모두 학습!

01일차	1~5p			21일차	61~75p	81~105p	
02일차	1~10p			22일차	66~80p	86~110p	
03일차	1~15p			23일차	76~95p	101~115p	
04일차	5~20p			24일차	81~85p	91~120p	
05일차	1~5p	11~25p		25일차	86~90p	101~125p	
06일차	1~10p	16~30p		26일차	91~95p	106~130p	
07일차	11~15p	21~35p		27일차	96~100p	111~135p	
08일차	1~5p	16~20p	26~40p	28일차	96~105p	116~140p	
09일차	5~10p	21~25p	31~45p	29일차	106~110p	121~145p	
10일차	11~15p	26~30p	36~50p	30일차	1~15p	111~115p	126~150p
11일차	16~20p	31~35p	41~55p	31일차	16~30p	116~120p	131~160p
12일차	21~25p	36~40p	46~60p	32일차	31~45p	121~125p	136~165p
13일차	26~30p	41~45p	51~65p	33일차	46~60p	126~130p	151~170p
14일차	31~35p	46~50p	56~70p	34일차	61~75p	131~135p	141~175p
15일차	1~10p	36~40p	51~75p	35일차	76~90p	136~140p	146~180p
16일차	11~20p	41~45p	56~80p	36일차	91~105p	141~190p	
17일차	21~30p	46~50p	61~85p	37일차	106~120p	146~195p	
18일차	31~40p	51~55p	66~90p	38일차	121~200p		
19일차	41~50p	56~60p	71~95p	39일차	135~203p		
20일차	51~65p	76~100p		40일차	1~203p		